АЛЕКСАНДР
ЦЫПКИН

девочка,
которая **всегда** смеялась
последней

Москва
Издательство АСТ

УДК 821.161.1
ББК 84(2Рос=Рус)6
Ц97

Серия «ОДОБРЕНО РУНЕТОМ»

Иллюстрации и дизайн обложки: *Анна Ксенз*

Цыпкин, Александр Евгеньевич

Ц97   Девочка, которая всегда смеялась последней / Александр Цыпкин.— Москва: Издательство АСТ, 2019.— 288 с.— (ОДОБРЕНО РУНЕТОМ).

ISBN 978-5-17-113355-9

Александр Цыпкин – автор бестселлеров «Дом до свиданий», «Женщины непреклонного возраста», общим тиражом более 200 000 экземпляров.

Его рассказы по всему миру со сцены читают:

Сергей Бурунов, Максим Виторган, Сергей Гармаш, Михаил Горевой, Ингеборга Дапкунайте, Виктория Исакова, Данила Козловский, Ольга Литвинова, Максим Матвеев, Анна Михалкова, Ксения Раппопорт, Пётр Семак, Евгений Стычкин, Ольга Сутулова, Виктория Толстоганова, Павел Табаков, Полина Толстун, Николай Фоменко, Константин Хабенский, Юлия Хлынина, Дмитрий Чеботарёв, Сергей Шнуров, Катерина Шпица и многие другие.

Наконец-то можно не только услышать, но и прочитать уже ставшие знаменитыми рассказы «Снег», «Мадо», «Не скажу» и новые истории Александра Цыпкина.

Посвящается в который раз мне

Дорогие друзья, не прошло и двух лет, как вы держите в руках третий сборник моих рассказов. Я последовательно отстаиваю свою позицию: я не совсем писатель, я все-таки больше автор текстов для чтения со сцены, поэтому книга будет тоже составлена так же, как проходит театральный спектакль: первое отделение, антракт, второе отделение.

В театральном антракте традиция обязывает нас посетить буфет. Я, к сожалению, не могу обеспечить исполнение этого ритуала всем вам, поэтому рассчитываю на вашу самостоятельность и сознательность. Не подведите меня.

И сразу оговорюсь. Меня часто упрекают в использовании ненормативной лексики, говорят, что из-за этого не каждому человеку можно подарить книгу. Даже моя собственная бабушка жаловалась. Слово бабушки – закон. Вы держите в руках версию моего сборника без мата (но я обязательно издам потом версию с ним). Мат убрал, и моментально случилась незадача. Героя первого и еще нескольких рассказов зовут Славик-не-... и тут как раз такое слово, означающее «врать». Не скрою, Славик не первый раз лишается своего полного имени. Мы с коллегами-артистами регулярно читаем рассказы на сцене знаменитого Дома музыки, вотчины маэстро Владимира Теодоровича Спивакова. Так вот, Владимир Теодорович накануне выступления позвонил и попросил не использовать мат. Что любопытно – просьба эта была озвучена с использованием того самого мата, разумеется в добродушной и дружественной манере, что не убирает диалектичность ситуации. В итоге по предложению Вики Исаковой Славик-не... превратился в Славика-не-говори-неправду. Ну вы сами можете, если есть желание, при прочтении произносить про себя и не при детях оригинальное имя.

Теперь точно всё. Спектакль начинается!

ПЕРВОЕ ОТДЕЛЕНИЕ

ЖЕНЩИНЫ ВЕРЯТ ЛИШЬ В ТО, ВО ЧТО ХОТЯТ ВЕРИТЬ

Славик-не-говори-неправду (так его звали со школы) был неоднозначен во всем, кроме двух позиций. Стопроцентный коренной москвич и стопроцентный негодяй. Кстати, по первому пункту у окружающих могли возникнуть какие-то вопросы, все-таки у каждого свое определение понятия «коренной». Ряд ультрас уверены, что обе бабушки и оба дедушки должны родиться в городе, чтобы ты имел право смотреть свысока на приезжих. У Славика дедушка родился в Житомире, но уже в десять лет был перевезен в Москву (к несчастью для города, точнее, для его трогательных барышень). Иосиф Михайлович до самой смерти пил кровь из москвичек и чаще всего имел сразу несколько источников такого неоднозначного вдохновения, о чем они, то есть источники, не догадывались, так как ложь выбрала маленького Йосю в приемные дети сразу по рождении. Это свое уникальное свойство предок передал Славику, что и послужило основой второго стопроцентного качества, в котором уж точно никто не сомневался.

Молодой человек тридцати восьми лет был, как я уже отметил, абсолютным негодяем. Нет, разумеется, не убийцей и не садистом. Просто у Славика не было ничего святого, и он в это свято верил. Отметим, что, когда дело касалось мужчин, в Славике срабатывал житомирский инстинкт самосохранения, особенно после двух поездок за город. В наручниках. В багажнике. С лопатой. Славик воспринял эти предупредительные туры как знак свыше и сконцентрировался в своей жажде обмана на женщинах.

В качестве примера легкой шалости могу привести прекрасную историю о том, как Славик водил любовницу к себе домой, где жил с женой Людмилой и дочерью. Он убеждал девушку, что это квартира его друга и он просто берет ключи. На вопросы, почему друг носит его одежду, он отвечал, что они вместе ходят в магазин. Наличие на тумбочке своих фотографий с женой друга он объяснял тем, что они очень близки с детства. Более того, один раз Славик подарил любовнице пиджак «Шанель», купленный его женой самой себе накануне. Размер у женщин был схожий. Славик увидел дома одиноко стоящий пакет, заглянул, что внутри, и, сказав, что еще вчера его сюда занес, вручил барышне. В краже пиджака была обвинена кухарка, которая работала у них уже два года. Деньги за пиджак Славик попытался с нее вычесть, но не дожал, о чем сильно переживал. Важное дополнение. У Славика водились деньги. Большие. Да и с сексом проблем тоже не было. Обман являлся для него фетишем и искусством. И в нем он достиг серьезных высот.

Не раз Славик прикидывался онкологическим больным, у которого завтра химия, отчего его мужская функция угаснет навсегда, и поэтому сегодня его последний возможный секс. Какая русская женщина откажет в такой просьбе? К тому же стать у мужчины последней – это даже круче, чем первой. В двух случаях Славик утром получал еще и крупную сумму денег на лечение своего заболевания. Думаете, он отказывался? И это, повторюсь, детские шалости. Так, небольшое лукавство. Системные и комплексные разводки заслуживают отдельного повествования. Но что стоит отметить: Славику всегда верили. Даже когда его жена и любовница столкнулись в подъезде той самой квартиры. Славик их познакомил, жене сообщил, что это дочка генерала Хадякова, которая смотрела их квартиру на предмет возможной покупки, быстро ее проводил и вернулся домой. Наличие в ванной сережек дочки генерала Хадякова Славик обосновал радикально. Он начал истерить о невозможности жить в атмосфере недоверия:

– Неужели ты думаешь, я смог бы переспать с дочкой генерала Хадякова, и при этом у нас дома?!

– Ты – да. – Спокойно ответила жена.

Славик заплакал и сказал, что у него все-таки хоть что-то святое, но осталось, а дочка генерала Хадякова вообще лесбиянка и попросилась в душ, так как пришла со свингерской лесбийской вечеринки. Жена после такого откровения вымыла всю квартиру мирамистином.

На одном из случайных дружеских собраний жена Славика столкнулась наконец с генералом Хадяковым, который вместе со своей супругой спокойно пил шампанское. Славик всех познакомил, о чем моментально пожалел.

– Как у вашей дочери дела? Не надумала насчет квартиры? Славик сказал, она ей понравилась, – скорее всего, дежурно поинтересовалась Людмила.

– У меня нет дочери, только сыновья, ну или я чего-то не знаю. – Генерал Хадяков громко усмехнулся, а вот жена генерала Хадякова – нет. Вероятно, она знала, что чего-то может не знать. Галина Петровна метнула в мужа молнию и ушла.

Славик оценил ситуацию и моментально придумал новую комбинацию, увел жену куда-то и прошипел:

– Ты что, дура?! Не понимаешь, что у него дочка не от жены? О ней никто не знает! Можешь меня не подставлять на ровном месте?! Это секрет!

Люда была, мягко скажем, на взводе.

– Славик, а почему ты в курсе этого секрета? Ты – последний, кому можно доверять секреты, уж прости!

Славик надел драматическую маску.

– Ладно, скажу правду… но… сама решай, что с ней делать. Мать дочки – это троюродная сестра моей мамы.

– Первый раз слышу про троюродную сестру твоей мамы! Мы женаты столько лет!

– Потому что мне можно доверять секреты, поэтому и первый раз слышишь. Представляешь, по какому краю генерал ходит?!

Люда Славику не поверила, устроила скандал прямо на приеме, и они уехали домой, как и разругавшиеся Хадяковы. А потом произошло событие, от которого Славик-не-говори-неправду окончательно уверовал в свою избранность.

Возвращаясь с мероприятия, Славик и Люда молчали.

Тут необходимо сделать лирическо-научное отступление. Люда была… ну назовем это – реалистом широких взглядов. Она все про мужа понимала, но в ее голове существовал некий кодекс его поведения, и привод любовниц домой кодекс категорически запрещал. Если интересно, я потом подробно остановлюсь на Правилах измен, разработанных Людмилой Корчной для своего супруга, но не сейчас. Лишь скажу, что указанная выше позиция была для нее принципиальной, поэтому Славика-не-говори-неправду ждала серьезная разборка с непредсказуемым финалом, и он об этом знал. При водителе Люда отношения не выясняла, этим и была вызвана тишина, которую вскрыл звонок, как это было ни странно, генерала Хадякова. Жена увидела на экране имя и рявкнула:

– Сучонок, ставь на громкую связь. Хочу послушать, что генерал тебе скажет. Твое вранье и по нему ударило, как я понимаю. Просто я первая в очереди тебя убить.

Выхода у Славика особо не было. Он приготовился умереть молодым.

Из динамика послышалось предельно удивительное. Нервный и испуганный голос генерала Хадякова сообщил следующее.

– Славик! Как ты умудрился познакомиться с моей дочерью?! Про нее никто не знает, а она у тебя квартиру хочет купить! И зачем ей квартира в Москве?! Ты что, не мог меня предупредить?! Убью и тебя, и ее! Она сейчас летит в Нью-Йорк, к телефону не подходит.

Славик почувствовал, как кожа его растянулась по всему телу. Он выдохнул и загадочно произнес:

– Олег Григорьевич, это долгая история. Она вам сюрприз готовит, нашла вот меня, я молчу, как просила. При встрече расскажу вам подробно. Простите, что подвели вас с женой, ничего женщинам доверить нельзя, простите еще раз... Вот она передает вам извинения, мы вместе в машине сейчас.

Славик торжественно-укоризненно посмотрел на жену, застывшую с бутылкой воды, из которой думала сделать глоток, когда позвонил генерал. Она была со Славиком с момента скандала и видела, что он никому не звонил и не писал.

Он и правда не просил генерала ему подыграть. Славику-не-говори-неправду просто инфернально повезло. Он выстрелил в небо и попал в главную утку. У генерала Хадякова действительно была дочка, о которой жена генерала Хадякова не знала, как и практически никто. Жила она за границей и существование никому не портила, иногда приезжала.

Закончив разговор, не веривший в чудесное избавление от смертной казни Славик решил использовать ситуацию по максимуму. Он вбивал в жену комплекс вины, как Петр Первый сваи в Заячий остров. Навсегда.

– Знаешь, что самое неприятное? Не то, что ты мне не веришь, а то, что ты считаешь меня способным на такую низость. Я не святой, ты знаешь, но какие-то понятия у меня еще остались. Наш дом, наш с тобой...

Славик стал подбирать слово.

– Наш с тобой храм любви.

Славика, на радостях очевидно, понесло, но остановиться он уже не мог.

– Прости за громкие слова. Он неприкосновенен. Я никогда не приводил и не приведу в него другую.

Непробиваемая Люда получила торпеду ниже ватерлинии. Чуть ли не впервые за долгие годы семейной жизни.

– Ну прости, Славушка... Ну я же знаю, что ты... ну... можешь устроить... Прости, правда, забыла, что ты глубоко внутри очень порядочный мужчина.

В тот же вечер Славик позвонил генералу Хадякову и все рассказал. Повинился.

– Слава, ну ты хоть бы предупредил! Мне-то что теперь жене сказать?! Она и так подозревала...

– Дайте ей трубку.

– Зачем?

– Я всё улажу. Просто доверьтесь.

Генерал спорить не стал.

– Слава, я не хочу с вами разговаривать!

– Галина Петровна, выслушайте! У меня не было выхода... Это моя дочь. Людмила не знает. Это было еще до нее, я узнал, только когда мы поженились, а у нас тогда ребенок не получался, и я решил ее не травмировать... Скрыл, но всю жизнь поддерживал, вот захотел дом свой показать, и

Люда пришла… случайно! Я берегу ее чувства, я не знал, что делать. Пришлось импровизировать. Хотел вас предупредить и не успел… Простите, я так виноват, так виноват…

Как это часто бывает, оценка моральности поступка мужчины для женщины зависит только от одного. Ее ли это мужчина или нет. Галина Петровна Люду не очень любила за молодость и красоту, поэтому сразу же приняла сторону Славика. Славик, как всегда, все рассчитал верно.

– Славочка, ну что же вы не сказали… Я бы вас, конечно, поддержала! Вы очень благородный человек, чувствительный. Не переживайте, спокойно скажите жене, что… Ну придумаете, что сказать. Я все подтвержу.

– Спасибо вам большое! Я знал, что вы меня поддержите! Верил в вас! Еще раз простите. И все-таки вопрос… А как мне быть, если я Люде не признаюсь? Она же будет думать, что муж вас обманывает…. что у него ребенок.

– Пусть думает, что хочет, я-то правду знаю, и мне твое спокойствие дороже. Потом когда-нибудь все выяснится, тогда и скажу, что знала. Не переживай. Скажи, что для меня это не секрет, просто я разъярилась оттого, что кто-то еще узнал. Передаю трубку Олегу. До встречи! Привет дочери. Если что, всегда можете на нас рассчитывать, мы о ней позаботимся. Сколько ей?

Славик как-то не подумал о потенциальной очной ставке и что Люда видела «дочку», которой в реальности было двадцать шесть, но делать было нечего, он назвал максимально возможную цифру.

– Девятнадцать.

– Совсем еще юная. Приходите в гости. Или можете нашей дачей распоряжаться. Нам можно доверять тайны. Люда ничего не узнает. Я понимаю, как вам с ней иногда тяжело.

Славик подумал, что в случае чего на дачу к Хадяковым он может приезжать с разными дочками. Галина Петровна очевидно имела на Люду зуб мудрости и также очевидно будет рада любому удару по ее самооценке, даже тайному. Славик всегда ценил женщин именно за любовь к себе подобным. Это был неиссякаемый источник для его комбинаций. В будущем Славик не раз ездил на дачу к Хадяковым. Жене он говорил, что едет с генералом на разговор, и Галина Петровна версию всячески поддерживала. Звал на «инцестную дачу» Славик и генерала, но тот сказал, что честь офицера не позволяет ТАК обманывать жену. Но вернемся к тому разговору.

Трубку взял генерал Хадяков, который предусмотрительно вышел в другую комнату. Генерал пребывал в состоянии абсолютного восхищения и изумления.

– Слава, можешь мне не объяснять. Я все понял. Я даже говорить ничего не буду. Эх, на войну бы тебя... в разведку. Такой талант пропадает. Ну приходи с «дочкой». Покажешь хоть. И кстати, Люде-то ты что скажешь?

– Ну, как вы понимаете, из-за того звонка Люда про вашу дочку знает от вас...

– Да понимаю уж... Но она спросит, что ты сказал Гале.

– Это уже легче. Скажу то же самое, что Галине Петровне, но только добавлю, что на самом деле это неправда, что пришлось импровизировать и дать вашей жене версию, в которую она поверит. Попрошу поддержать легенду ради вас. Это же Люда язык за зубами держать не умеет, пусть теперь отрабатывает. А вы Галину Петровну попросите никогда эту тему при Люде не поднимать. Как будто нет ее.

– То есть она будет думать, что у меня дочь есть.

– Да.

– Но что Галя про это не знает и думает, что это твоя дочь.

– Да.

– Про которую не знает Люда.

– Именно.

Олег Григорьевич взял паузу и с опаской поинтересовался:

– Слава, а ты в Бога веришь?

Сам силовик верил во что-то среднее между Лениным, Путиным и Николаем-угодником, но этот вопрос он задал с максимальной степенью серьезности. Славик ответил моментально.

– Олег Григорьевич, главное, чтобы Он в меня верил.

– Разумно.

Переведя дух, генерал решил уточнить ряд деталей.

– Слава, а почему ты думаешь, что однажды Люда и Галя не поговорят по душам? И вся конструкция рухнет, уж поверь, я тебя не спасу. Все вместе на дно пойдем.

– Знаю! Но не рухнет. Женщины верят лишь в то, во что хотят верить. И никогда не будут искать доказательства обратного. Уверяю вас, они будут смотреть друг на друга в полной уверенности, что знают правду, но не обмолвятся ни словом.

– Славик, может, все-таки в разведку?

– Хлопотно и платят мало.

– Это точно. Ладно, комбинатор, держись!

Славик был прав. Люде его версия очень понравилась, и она вступила в сговор.

– Ну и хорошо, что ты Галине Петровне все так объяснил, думаю она «порадовалась» за меня. Я чувствую, как она меня на самом деле терпеть не может. Сейчас будет смотреть и думать о своей тайне, которую только она знает, а я буду знать, что это она дура. И то радость. Ну ничего, пройдет несколько лет, все забудется, и тут я объявлю, что знала все давно. А генералу передай: если что, он всегда в наш дом с дочкой велкам, хороший он мужик, всю жизнь эту грымзу терпит.

Славик восхитился в третий раз.

– Хорошо, передам! Только я тебя прошу, при встрече с Галиной Петровной тему дочки вообще не поднимай, как будто нет ее. Я тебя очень прошу!

– Конечно!

Славик начал расслаблять все напряженные органы – и вдруг Люда вернула в матч интригу.

– Славочка, а у меня вот неожиданный вопрос, на который я тебя попрошу ответить честно.

Славик-не-говори-неправду забыл, когда он отвечал честно, и даже сначала не очень понял, что это значит. Просто промолчал.

– Вот ответь. Ты бы мне сказал, если бы у тебя реально дочка была? В смысле, если бы она родилась в момент нашего брака?

Славик автоматически начал искать скрытые подтексты и ловушки, поэтому отвечал с некоторыми паузами.

– Мне сложно тебе врать в таких серьезных вопросах. Я и в мелочах-то стараюсь...

– Слава! Не... – Тут Люда выругалась, назвав мужа полным именем.

– Сказал бы! Чего с таким грузом жить.

Невеликий комбинатор так устал от этого похода по огненному канату, что немного потерялся и неожиданно вернул Люде вопрос.

– А ты бы сказала?

Люда внимательно посмотрела на мужа и улыбнулась.

– Славик, ты, конечно, у меня тупица непроходимый. Сложно родить ребенка, чтобы муж не заметил. Хотя, зная твою рассеянность... Пойдем ужинать, поднимем бокал за генерала Хадякова. Слушай, а генерал хоть в курсе, что она лесбиянка и по притонам шляется?

Славик понял, что врать больше не может.

– Да хрен их там всех знает, если честно. Не семья, а черт знает что.

МАДО

Степа прибыл в Перу с одной целью.

Кокаин.

Маме и жене Любе он, разумеется, сообщил, что хочет наконец вылечить астму, а в Перу — горы, разреженный воздух и прочие блага. Начальника Степа убедил в необходимости дать ему новый проект ради повышения мотивации и получения опыта раскрытия закрытых чакр. Начальник плотно сидел на эзотерической ереси и во второе активно поверил. На его беду, у конторы и правда имелись интересы в латиноамериканской стране. Таким образом как-то под Новый год Степа оказался в Лиме. С ним прилетело еще трое оболтусов: один из его конторы, двое за компанию. Цели были сопоставимы. Попробовать.

Около тридцати, хорошие мальчики, хотят наконец попробовать, каково это — быть плохими; и это прекрасное начало верного и иногда очень трагического конца. Лучше бы им мамы объяснили, что логично идти от плохого к хорошему, а не наоборот. Но…

Друзья приехали, кое-как отработали и одним вечером договорились пуститься во все тяжкие (в их понимании этого слова), то есть купить где-нибудь порошок и, забаррикадировавшись в одном из номеров, что-нибудь с ним сделать. Что именно, они знали по фильмам. Оттуда же они знали про наркомафию, которая убивает всех и всегда. Просто ради жажды смерти. Редкие живые жители этих стран пребывали в постоянном ужасе.

С одним из таких Степа сдружился. Его звали Карлос.

Субтильный субъект лет двадцати пяти, исполнявший роль гида, переводчика, водителя, носильщика и шерпа. Карлос был… ну вот нет другого слова: растяпа. Эталонный. Классический. Его спасала только доброта. Надо отметить – исключительная. А еще Карлос иногда заикался, очень этого стеснялся и из-за всего этого выглядел особенно трогательно. Степа любил добрых людей и верил им. Когда встал вопрос, где взять кокаин, друзья перевели стрелку на Степу.

– Степ, ну ты сам это замутил, решай теперь. Говорят, здесь у любого можно купить.

Степа с презрением всезнающего прохладно заметил:

– Здесь и ствол у любого. Тут так можно влип-
нуть... Туристов пасут, потом подставляют и са-
жают. Выходят за выкуп. За меня Люба платить
не будет. Скорее, заплатит, чтобы не выпустили.
Надо найти надежного человека.

Друзья ожидаемо поинтересовались:

– У тебя есть?

Надежных людей в жизни Степы в принципе не
было. Люба и родители не в счет. Надежные люди
опасались, что Степа их заразит своей абсолютной ненадежностью. Тем не менее Степа лаконично взял новую высоту:

– Есть. Один.

Разговор с Карлосом шел лично, в лобби отеля,
но по зашифрованному Степой каналу.

– Карлос... у меня вопрос. Я хочу купить то, зачем сюда все едут.

Карлос завис.

– А з-зачем сюда в-все едут?

Карлос в сравнении с раздувшим брутальность
Степой казался Малышом из «Карлсона». Степа
даже усмехнулся.

– Ну как – «зачем»?.. За продукцией господина
Эскобара, царствие ему небесное.

Малыш изумился.

– Ты сейчас с-серьезно?

– Мы в России шутить не привыкли.

Степа стал похож на Дона Корлеоне. Важная деталь: в России он торговал шоколадками. Но предчувствие кокаина творит чудеса. Голос Степы был похож на звук летящего МиГ-29.

– Ты сможешь достать? У вас здесь в разы дешевле и качественнее, чем у нас.

Карлос замолчал, прикусил верхнюю губу и вдруг выпалил:

– Смогу... А много?

Степа глянул по сторонам и пальцами показал пять.

– Поэтому и не хотим на улице брать, а только у своих. Если ты поможешь, я буду тебе очень благодарен.

Карлос задумался, пересчитал пальцы Степы, выдохнул и как-то тревожно то ли согласился, то ли предупредил:

– Хорошо... Я отвезу тебя, но если что-то пойдет не так, то... всем к-к-к... Понимаешь?

– Конечно. Я все понимаю. Давно живу. Кое-что видел. Я даю слово, что все будет четко. И никто не узнает. Приехали, купили, уехали.

Степа был исключительно конкретен.

Вечером Карлос заехал за Степой. Тот был с какой-то сумкой. Карлос вопросительно-утвердительно взглянул. Степа с улыбкой пояснил:

– Куплю фруктов по дороге назад.

Карлос кивнул.

– Это за городом. Ехать час.

– Не вопрос. Ты хвост проверил? – Степа из роли выплыть не мог.

– К-кого?

– Ну мало ли – за нами следят. Могли разговор подслушать.

– Вроде н-никого не было. Деньги т-ты взял же? Перуанец кивнул в сторону сумки.

– Конечно. – Степа продолжал в этот момент смотреть в окно в поисках хвоста.

Отчаянные парни выехали из города и двинули по ночной, практически сельской дороге.

– Мы едем к М-мадо. Он из индейцев. Человек н-немногословный. Говори ему п-п-правду.

Карлос обнаружил первые признаки страха. Степа их тут же удвоил и понял, что вот она – проверка на мужественность. И на честность.

Они зашли в странный дом. Огромная комната, «лампочка Ильича», стол. На нем кокаин: горы кокаина. Россыпью и в упаковках всех возможных форм. За столом Мадо.

Ему было далеко за пятьдесят. Грузноватый, но исключительно мощный. Медвежьи ладони тем не менее казались чуть ли не женскими, что-то в них было заботливое. А вот глаза… Они выжигали всё, на что смотрели. Мадо встал из-за стола и как-то неумолимо прижал Степу просто взглядом. Он говорил очень медленно и начал со штампа, напомнив Степе плохое кино.

– Ну здравствуй, гринго.

– Здравствуйте. Спасибо, что…

Степа не понимал, за что сказать спасибо, но так учили.

– Очень рад знакомству.

– Почему?

Мадо говорил на ломаном английском, но он был понятен любому живому существу. В его речи не было ни единого лишнего суффикса, не то что слова. Звуки вылезали из горла медленно и беспощадно. Степу как будто обвивала анаконда. Ему даже стало тяжело дышать. Он подумал, что может и приступ хватить на нервной почве, хорошо, что ингалятор был с ним. А Мадо продолжал:

– Не надо быть вежливым. Ответь на вопрос. Как ты перевезешь кокаин в Россию? По какому каналу?

Степа сглотнул, в горле пересохло, он продребезжал:

– Я не собираюсь везти его в Россию. Вы что! Зачем?

– А что ты с ним будешь делать?

– Мы хотели с друзьями хорошо п-провести время. – Посмотрев на Карлоса, Степа сам стал заикаться.

– И сколько у тебя друзей? – В змеиных глазах Мадо сверкнуло что-то человеческое.

– Трое.

– И как долго вы собираетесь хорошо проводить время?

– Пару дней до отъезда.

Мадо подошел ближе. Голос стал ртутным.

Степа почувствовал, что сейчас кислород перестанет входить в легкие.

– Тебя предупреждали, что за ложь я делаю людям очень больно?

Степе стало очень больно даже от тембра голоса. Он процедил:

– Да. Я сказал правду.

– Правду? А ты ведь познакомишь меня со своими друзьями?

– Конечно, только зачем.

В голосе Мадо звучали ирония, азарт и угроза.

– Я хочу посмотреть на людей, которым нужно на троих на пару дней, – он взял паузу, – пять килограммов кокаина.

Степа мгновенно взмок. С обреченностью в голосе он как будто сознался, а не ответил:

– Мне нужно пять граммов. Мне не нужно пять килограммов.

Мадо посмотрел на стол, заваленный кокаином, и на Карлоса. Тот стал настолько бледным, насколько позволяла его латиноамериканская кожа. Нижняя челюсть медленно отвисала.

– Пять граммов... Как интересно. А Карлос про это знал? Что ты ему сказал? Подумай хорошо. Вспомни. От этого многое зависит в твоей жизни и в жизни Карлоса.

Степа вспомнил и по слогам произнес.

– Он спросил, много ли мне нужно, я показал пальцами пять. Мы друг друга не поняли.

– Как часто люди друг друга не понимают...

Степа увидел, как по Карлосу сползла объемная капля пота.

– Карлос, это правда?

Он кивнул.

– Ну что ж, гринго. Иди. Тебя отвезут так, чтобы ты нас потом не нашел, ну а дальше пешком. Возьми палку, столько плохих людей ночью ходит...

– А Карлос? – с тревогой спросил Степа. Мадо равнодушно ответил:

– А Карлос всё. Ты его больше никогда не увидишь. Мне кажется, ему пора поговорить с духами.

Карлос опустил голову и задрожал. Степа вышел. Его плотно взяли под руки и повели к машине. И вдруг он начал задыхаться. Настоящий мощный приступ. Последний раз такое было с ним давно, пару лет назад. Он захрипел и начал искать в карманах ингалятор.

Степу приучили всегда носить его с собой, но руки не слушались, воздух заканчивался, он кое-как глотнул ночной прохлады, неожиданно нащупал спасительный пластик, чуть не проглотил баллончик и рухнул на землю. Кислород. Кислород. Степа тонул в нем, пил его всем телом, приходил в себя, оживал – и вдруг острая боль. Карлос! Возможно, прямо сейчас Карлоса убивали. Из-за него, из-за его идиотизма. Степа представил, как Мадо сворачивает тонюсенькую шею мальчишки Карлоса, и понял, что либо сейчас, либо никогда.

Степа был трусом. Все детство его били в школе. Он запирался в туалете и плакал. От этого его били еще больше. Почти каждый день. Годами он жил в страхе. В итоге Степа стал бояться абсолютно всего… но иногда жизнь не оставляет выбора. Степа оттолкнул обоих бандитов, рванул в дом, выбил дверь ногой, влетел в комнату Мадо и заорал:

– Стойте!

Индеец держал Карлоса за шею и что-то шипел на испанском. Увидев Степу, он удивленно, но очень спокойно спросил:

– Чего тебе, гринго?

– Я куплю пять килограммов! – выпалил Степа первое, что пришло в голову.

Мадо отпустил Карлоса и с холодным любопытством посмотрел на Степу.

– У тебя есть деньги?

– Сколько это стоит?

– 60 000 долларов. У тебя они с собой?

Степа осунулся, но не сдавался.

– Нет, таких денег у меня нет... Я с вашим человеком поеду в город, сниму с карты все, что есть, там, там... ну... тысяч восемь. Остальное найду в течение трех дней, пока оставлю у вас паспорт, а товар вообще не буду забирать. Вы ничем не рискуете!

– Что значит – не будешь забирать?

– Мне не нужно столько, просто, пожалуйста, не убивайте Карлоса. Он не виноват. Если я куплю пять килограммов, вы его отпустите? Ну пожалуйста! Это моя ошибка, моя!

– А если ты не найдешь эти деньги, что тогда?

Степа начал ощущать какой-то животный страх, но справился даже с ним, хотя говорил все менее и менее уверенно...

– Тогда я останусь и буду здесь, пока их не пришлют из России.

Мадо же затянул тиски на максимум и задал вопрос в лоб:

– А если их не пришлют?

Степа понимал, что их могут не прислать, просто не успеть, или не собрать, или черт знает что еще может случиться. Карлос попытался что-то сказать Мадо на испанском, но тот очень резко оборвал его. Карлос затих. Мадо превратился в каток, ползущий прямо на Степу:

– Гринго, что будет, если их не пришлют?

Степа молчал. Но вот что странно. С каждой секундой страха было все меньше. Из глубины детских переживаний наконец проросли отвага и отчаянность.

– Когда не пришлют, тогда и решим, но я не уеду без Карлоса!

На этой фразе отвага закончилась, и Степа ужаснулся всему сказанному. Он даже подумывал сбежать. Но индеец вдруг подобрел, подошел ближе и сказал скорее Карлосу.

– Гринго, я долго жил, я знаю ответы на все вопросы, а вот на этот не знаю… Скажи мне… а почему… почему Карлоса все любят? Почему?! Мои родители, мои дети, моя сестра, она вышла за него замуж. Даже я его люблю. Но это можно объяснить. Семья. Но ты? Вот ты почему?! Ты рисковал жизнью ради этого неудачника?!

Степа как будто не понял и озадаченно спросил.

– Простите…. Он ваш родственник?!

– К несчастью, да!

– И вы все равно собирались его убить?!

Наконец Мадо вспылил. А последний раз с ним такое было до рождения Карлоса и Степы.

– С чего ты взял, что я хотел его убить?! Я редко убиваю людей, и только если они у меня воруют, но нельзя убивать человека, если духи украли у него разум.

Глаза Степы выражали высшую степень озадаченности.

– А почему бы я его больше не увидел?

Мадо взорвался.

– А зачем?! Он бы посидел здесь до твоего отъезда. Мало ли что еще вы, идиоты, придумаете. Убить Карлоса! Гринго, ты слишком много смотрел кино. Но ты меня удивил. По-настоящему. Скажи, почему ты решил спасти Карлоса? – Мадо вновь стал похож на удава, но теперь на доброго и озадаченного.

Степа ответил со слезами в голосе:

– Я не смог бы жить, если бы Карлоса убили из-за меня.

И вдруг Степа осмелился сам задать вопрос:

– А разве вы бы бросили друга?

Мадо не ответил. Он не любил сослагательное наклонение. Индеец долго изучал Степино лицо. Степе показалось, что на него смотрят тысячи глаз одновременно и видят его насквозь. И вдруг Мадо сказал то, что Степа мечтал услышать всю жизнь.

– А ты хороший человек, гринго. Постарайся не стать плохим. У тебя еще есть шанс.

Степино сердце сжалось и лопнуло. Он всегда сомневался именно в этом, самом важном для человека критерии. Поэтому он с какой-то болью и недоверием спросил:

– А откуда... откуда вы знаете, что я хороший человек? Я же трус... и дурак.

– Я не знаю, я вижу. – Мадо вернулся за стол и продолжил.

– И ты не трус, а вот насчет дурака соглашусь. Гринго, а скажи, ты когда-нибудь пробовал кока-ин?

– Нет, хотел вот...

– Зачем?

– Ну это же... ну это как в Россию приехать и не попробовать водку с икрой.

– Что такое икра?

Степа, как мог, объяснил. Мадо был все так же тягуч.

– А-а-а-а, слышал. Это вкусно?

– Очень.

– А от нее можно умереть?

– Нет, конечно!

– А от кокаина ты умрешь. Все рано или поздно умирают. Сначала становятся плохими людьми, рушат жизни всех, кто им дорог, а потом умирают. Молчишь? Думаешь, почему я им торгую? Нечем больше. У нас было золото, но его украли испанцы. У нас нет ничего другого. Плохо, но что делать.

– Я вас не осуждаю...

Степа понял, что хочет обязательно еще раз увидеть Мадо. Потому что у индейца были ответы на все вопросы, которые так мучили Степу всю жизнь. Он опять превратился в мальчика и задорно предложил:

– Слушайте, а приезжайте к нам в Россию! Я куплю вам пять килограммов черной икры.

– Спасибо, гринго, но боюсь... – Мадо грустно улыбнулся. – Боюсь, не получится. У меня мало времени осталось.

– Вы болеете?

– Нет, просто мое время на исходе.

– Откуда вы знаете?

– Я не знаю, я вижу. Так что приезжай ты. Я познакомлю тебя с духами. Мне кажется, тебе есть смысл с ними поговорить, позадавать вопросы. Может, ты, наконец, поверишь в то, что ты хороший человек. Мне же ты не веришь.

Степа ощутил укол куда-то в больное. Он правда слышал о том, как в Латинской Америке разговаривают с духами, поэтому озадачился.

– С духами поговорить... Вы же против наркотиков?

– Ты не путай вот это белое дерьмо и разговоры с духами. Приедешь?

– Приеду. Обязательно.

– Это хорошо. Карлос сейчас тебя отвезет, я с ним завтра поговорю, мне кажется, он может от тебя кое-чему научиться. И когда придет его время выбирать, каким человеком стать, плохим или хорошим, он вспомнит тебя, и, может, ты ему поможешь, может, он тебя послушает, а мне кажется, это случится очень скоро. – Мадо погрустнел, а потом жестко бросил Карлосу.

– Карлос, ты меня услышал?

Тот кивнул.

По дороге назад они молчали. Когда прощались, Карлос обнял Степу и держал пару минут.

– С-с-с-с-пасибо, Степа. Я это н-н-никок-к-к-к... – Карлос взял лист бумаги, написал «я этого никогда не забуду» и отвернулся.

Степа часто вспоминал Мадо, иногда звонил Карлосу, передавал Мадо привет, но приехать как-то пока не получалось. Степа, конечно, рассказал Любе все в деталях. Особенно про хорошего человека. Он был так счастлив от этой банальной оценки, а Люба... Люба, как ему показалось, ничего не поняла. Особенно про хорошего человека. Так бывает, когда близкий тебе вдруг не понимает чего-то очень важного. Он от этого не становится менее близким, просто иногда нужно подождать.

Когда-нибудь близкий обязательно поймет. Ну или ты наконец поймешь, что ошибся.

В тот момент Люба сказала, что Степа идиот и что если бы ему реально пришлось отдать несуществующие у них 60 000 долларов, то она бы с ним развелась просто из чувства самосохранения. Так что ехать снова в Перу Степа не спешил. Просто часто думал о Мадо. Индеец стал для него кем-то вроде смеси Деда Мороза и Конфуция. Степа часто представлял себе их встречу, как он будет трясти объемную ладонь Мадо, обнимет его, а потом они начнут есть черную икру и разговаривать с духами, и духи подтвердят Степе все, что ему до этого говорил Мадо. В принципе, духов он представлял такими же, как Мадо, только из дыма. А однажды ему приснился сон. Мадо приехал в Россию, почему-то в одежде команчей из советских фильмов. Они пьют водку, закусывая икрой из бочки, Мадо принимает гостей, смотрит всем в глаза и выносит вердикт. Хороших людей очень мало... А потом их всех вместе почему-то приглашают на закрытие Олимпиады–80, хотя Степа родился в 82-м. Они смотрят соревнования, организаторы выпускают олимпийского медведя в небо, и Мадо в изумлении спрашивает:

– Интересно, с какими духами общаются люди, видевшие таких странных медведей?..

Проснувшись, Степа решил набрать Карлоса, чтобы рассказать о сне и передать привет Мадо.

– Карлос, привет! Как у вас дела?

– Привет. Плохо.

Голос был таким холодным и бесчувственным, что Степа сразу все понял.

– Карлос... Мадо? Он жив?! С ним все в порядке?!

– Нет. Мадо убили, – спокойно и без всякого заикания произнес Карлос.

Ком в горле, как опухоль, занял все пространство. Убили Мадо... Степа пытался найти какую-то справедливость и хрипло спросил:

– Из-за наркотиков?

– Нет. Просто так.

– Что значит – «просто так»?!

– Просто так – значит просто так. Он поехал в соседний городок, повздорил на улице с двумя отморозками, и его забили палками прямо на улице. – Карлос как будто зачитал протокол опознания.

Разорванный Степа вдруг ощутил внутри что-то новое. Это чувство его раньше не посещало, никогда, а сейчас как волной заливало все его внутренности, уничтожив даже боль. Ненависть. Безграничная, абсолютная, всепоглощающая ненависть. Он знал, что разорвет руками убийц Мадо... Степа тихо, но яростно просипел:

– Их поймали?

– На следующий же день.

– Вы же не отдали их полиции?

– Нет, мы сами разобрались, – с жутким, еле слышимым смешком ответил Карлос.

В этот момент Степа ощутил во рту сладкий вкус. Он знал, что ответ на следующий вопрос сделает его счастливым. И чем более бесчеловечным он будет, тем сильнее будет счастье.

– Расскажи, расскажи, как вы их убили?

Слово «как» было произнесено с таким упоением, что Степе самому на мгновение стало страшно.

– Степа, ты уверен, что хочешь это знать? – Карлос стал другим человеком: беспощадным, жестоким и неумолимым. Карлос научился ненавидеть и убивать. Трогательный, добрый Карлос из прошлой жизни умер вместе с Мадо и теми двумя, точнее, именно с теми двумя. Но новый Карлос Степе нравился гораздо больше. Он захотел стать таким же. Он со школы хотел быть именно таким. Он их всех помнил. Всех. По именам...

– Говори. Говори!!!

– Мы их не стали убивать. Просто похоронили рядом с Мадо. Пригласили их родителей на похороны... ну чтобы могли попрощаться как полагается. Приготовили им удобные гробы. Даже подушки дали. И еще кое-что в дорогу, чтобы не скучали. – Опять этот дьявольский смешок.

Опьяненный Степа перебил Карлоса:

– Кокаин?!

– Нет. Слишком просто.

Пауза. У Степы от ожидания свело мышцы на ногах.

– Что?! Говори, что вы им положили в гроб?

Вдруг он понял – что. Это же так просто, как можно не догадаться?

– Стой, я знаю! Я знаю.

– Что?

Степа никогда не ощущал такого вожделения и одержимости. Он успокоил дыхание и четко произнес:

– Кислород.

– Угадал, – с демонической жесткостью ответил Карлос. – Ты же знаешь, что это такое – задыхаться. Да. Я положил им кислород.

От чувства абсолютного, безграничного, всепоглощающего счастья Степа даже перестал дышать, а когда решил вдохнуть, то не смог.

Приступ. Астма.

Степа стал рвать легкие, но ничего не получалось, он лишь слышал эхо беспощадного голоса нового Карлоса: «Кислород... кислород... кислород...»

Сердце бешено стучало, причудился Мадо, его дом; Мадо был печален. Один вздох с трудом. «Ингалятор?! Ингалятор!!!» Он остался в машине. Другого в квартире родителей не было. Люба только что уехала, скорая не успеет. Ноги не двигались. Степа понял, что сейчас все закончится. Какая ирония. Карлос недавно заставил умереть от удушья своих врагов, а теперь задыхается его друг. Степа уплывал, в наушнике теплился голос Карлоса.

— Так что у ребят было время подумать. А я сидел и слушал. Мы их закопали не так глубоко. Два часа. Это лучшее, что я слышал в жизни. Лучшее! Понимаешь?

У Степы стало темнеть в глазах. А Карлос продолжал.

— Вот так вот. Приезжай, Степа, сходим на могилу к Мадо. Он, кстати, оставил тебе талисман, вырезал совсем недавно, говорит, для твоего разговора с духами. Необычная вещица, какой-то странный медведь, что ли. Он сказал, ты узнаешь. Степа? Степа? Ты здесь?

Медведь... Из глаз Степы брызнул поток, он начал все смывать, абсолютно все. Ненависть и месть унеслись прочь, как дома во время цунами. Мадо стоял у выхода из своей комнаты в какой-то сад. Степа захотел туда, сделал шаг, но Мадо покачал головой, сказал «рано» и закрыл перед ним дверь. Степа стал в нее ломиться, и вдруг какая-то сила рванула его назад.

Мощнейший удар по лицу заставил хрипящего Степу очнуться. Над ним с ингалятором в руках стояла Люба. У ее машины кто-то проколол колесо, и она вернулась. В Любиной сумке всегда был ингалятор для Степы. Она знала, что когда-нибудь он понадобится.

На следующий день Степа улетел в Перу, возвращать прежнего Карлоса, пока не стало совсем поздно.

В этом его убедила Люба, которая лишь спросила, точно ли Степа хороший человек, и если да, то какого хрена он еще не летит спасать друга. Ведь его именно об этом и просил Мадо.

Да, чуть не забыл. Пока Степа летел, Люба на всякий случай перевела с общих счетов все деньги. Ну, от греха.

ПАЛЫЧ

Как-то я был приглашен в одну парижскую библиотеку, не поверите, для передачи им моей книги. Акт сей происходил в зале, на стенах которого висели портреты Гоголя, Чехова, Лермонтова и Грибоедова. Я представил их беседу в момент моего появления.

Гоголь. Палыч? Палыч, ты спишь?

Чехов. Нет, боюсь заснуть и быть похороненным заживо.

Гоголь. Очень смешно, особенно в сотый раз. Палыч, это что за франт?

Чехов. Ох, не спрашивай. Это, язык не поворачивается сказать, – писатель.

Лермонтов. Дайте я его застрелю.

Гоголь. Хороший?

Чехов. Нет. Модный. Хлестаков от литературы.

Лермонтов. Тем более дайте я его застрелю.

Гоголь. То есть плохой. А чего его к нам привели?

Чехов. Говорю же, модный, без мыла в любую библиотеку влезет.

Лермонтов. Ну дайте же я его застрелю!!!

Грибоедов. Мишенька, вы бы лучше Мартынова застрелили. Николай Васильевич, тут такое дело, Палыч его не любит. Его в шутку с ним сравнили, он уже три недели не спит. Все перечитал. Ночами только и слышу «какой ужас, какая бездарность»...

Чехов. Вот вас, Александр-Сергеевич-да-не-тот, забыли спросить, что я ночами делаю.

Лермонтов. Можно я застрелю сначала Грибоедова и потом этого... Как, кстати, его?

Чехов. Цыпкин.

Грибоедов. Вот видите, как хорошо осведомлен.

Гоголь. Фамилия, конечно, как бы так помягче сказать, не писательская... Мне бы его в «Души мертвые». Он что, не мог псевдоним взять, что ли?

Грибоедов. Он следующую книгу как раз собирается подписать «Не-Чехов».

Чехов. Что?! Дайте я его застрелю!

Лермонтов. Палыч, вы промахнетесь, у вас зрение. Дайте я.

Чехов. Кто бы говорил?! Дайте мне пистолет! Убью наглеца!

Грибоедов. Да пошутил я! Вот ведь как задел! Да что вы к парню пристали? Он в свободное от работы время пишет что-то там – и всё.

Чехов. И кем он работает, интересно мне знать? Врачом? Инженером? Уверен, что нет. Думаю, какой-нибудь профессиональный прохвост.

Грибоедов. Пиарщик.

Лермонтов. Дайте я его все-таки застрелю! А что это, кстати?

Гоголь. Как? Кем?

Чехов. Вот. Я же говорил. Гнуснейшая профессия.

Грибоедов. Ну это как дипломат, только вообще без принципов. Работает за деньги на кого угодно. Делает популярным.

Лермонтов. Дайте...

Гоголь. Мишенька, да уймитесь вы. Сочините эпиграмму – и будет с вас. Александр Сергеевич, а о чем он пишет?

Грибоедов. О бабах.

Лермонтов. Дайте я его застрелю!

Гоголь. О бабах? Так это же чудесно.

Грибоедов. Ну сам он, конечно, говорит, что это, дескать, метафора, что на самом деле пишет о смысле жизни, но в действительности о бабах. Местами неплохо. Иногда очень смешно. Даже Палыч смеялся. Я слышал.

Чехов. Я кашлял. Ничего уж очень смешного там нет. Так. Анекдотцы.

Гоголь. Надо почитать. Раз уж Палыч его так не любит. Тем более о бабах. О чем нам здесь еще читать.

Чехов. Ты бы, Николай Васильевич, настоящего Александра Сергеевича почитал о бабах, а не этого... калифа на час. Его пусть, вон, ненастоящий читает. Защитник нашелся.

Гоголь. А я, знаете, прочту, пожалуй. Я иногда жалею, что о бабах не так много написал. А ведь были бабы в жизни, э-э-эх...

Грибоедов. Мы все жалеем.

Чехов. Не травите душу! Черт с ним, с Цыпкиным. Вот, помнится, еду я из Москвы с дамой в купе...

Лермонтов. Ну всё. Пропал вечер. Палыч, давайте в подробностях.

Чехов. И вот...

Грибоедов. Цыпкин… Цыпкин!..

Цыпкин. Да, Александр Сергеевич!

Грибоедов. Да не кричи ты, бестолочь, услышат все! Ты это, голубчик, не пиши о смысле жизни, не твое это. Я тебя очень прошу, пиши о бабах. Успеешь о смысле. А даже если не успеешь – без тебя уже написали столько, что нет сил читать. А вот о бабах – ты нас тут всех порадуешь, даже Палыча.

Мы ждем.

ЛЮДИ СВОЕВРЕМЕННЫХ ВЗГЛЯДОВ

Поздним вечером обычного осеннего четверга Зинаида Максимовна Сырникова неожиданно поняла, что ей не хватает любовницы. Причем отчаянно.

Все в жизни прекрасной матери и жены было безупречно, а вот любовница отсутствовала, что вызывало у подруг сомнения в успешности ее земного существования. А прослыть неуспешной в глазах общественности Зинаида Максимовна не могла себе позволить.

Вскрылся дефект, надо сказать, случайно.

– Что значит – нет? – Притормозив движение шпината по воздуху, спросила Виолетта, женщина широких размеров и узкой души.

– А что, должна быть? – Зинаида Максимовна не знала, какой ящик Пандоры она открыла этим невинным вопросом и к каким необратимым последствиям для многих москвичей приведет ее желание услышать ответ.

Виолетта перевоплотилась в начальника ЖЭКа, объясняющего жильцам пользу и неизбежность отключения горячей воды.

– Да, должна быть! Ты что, совсем дура, в XIX веке живешь?! Да ты, наверное, просто не знаешь, и всё!

Зинаида Максимовна попыталась возразить.

– Виолетта, все я знаю! Я знаю его день по часам, какая любовница, нет у Миши никого.

Подруга переобулась в следователя, предлагающего стукануть на соседа. Ее вкрадчивый голос выбил основу из-под мировоззрения Зинаиды Максимовны:

– Так это еще хуже, Зиночка. Муж, у которого нет любовницы, – ненадежен и непредсказуем, к тому же это эгоизм, дурной тон и невоспитанность. Но это не главное. Если у мужа нет любовницы, у него нет самого важного, что должно быть у каждого мужа, мужчины и гражданина.

– Чего? – Зинаида Максимовна даже отдаленно не догадывалась, о чем говорит ее подруга.

– Чувства вины. Понимаешь? Человек без чувства вины – опасен, но, уверена, Миша не такой. Ты просто не задумывалась или не спрашивала; он заботливый еврейский муж, вот и бережет тебя, наверное.

Слова об общественной опасности зацепили Зинаиду Максимовну, и она осторожно задала следующий вопрос.

– То есть у твоего Коли есть любовница и ты об этом знаешь?

Виолетта увидела, что ее снаряд попал в пороховой склад неприятеля, сбросила маску и стала собой.

– Две.

– Что – «две»?

– Две любовницы. И я, разумеется, о них знаю, я же должна интересоваться жизнью любимого человека.

Зинаида Максимовна на какое-то мгновение потеряла связь с реальностью и стала рефлекторно мотать головой в разные стороны, как будто не допуская эту самую реальность в свой разум.

– Подожди, подожди... И он знает, что ты знаешь?!

– Зин, ты вот зачем эту комедию сейчас разыгрываешь, а?..

– Какую комедию?! Я серьезно спросила!

– Ну, конечно, знает. А если он мне срочно понадобится, а телефон выключен, я его как должна искать? Да и вообще – это вопрос семейной безопасности, в близкий круг должны попадать проверенные люди.

На этой фразе флегматичная в обычной комплектации Зинаида Максимовна перешла на холерический визг:

– Какой близкий круг! Твой муж трахает каких-то женщин, а ты их называешь близким кругом!

Виолетта спокойно рассматривала кофейную гущу:

– Ну трахает, это ты, знаешь, хорошо о нем думаешь. Так, тыкается периодически. И да, это наш близкий круг, а ты что, хочешь, чтобы он непонятно с кем спал?

– А только с тобой он спать не может?!

Виолетта поставила чашку на стол и озадаченно посмотрела на подругу:

– Такая мысль, если честно, мне в голову не приходила. Может, он и может, но как это меняет ситуацию? Да и потом, я говорила, это некий социальный статус, принятая норма. Просто, если у твоего Миши нет любовницы, он скоро выпадет из общества. Ну сама посуди: вот сидят они на ужине с партнерами, все рассказывают о любовницах, а Миша… Миша что рассказывает? О тебе? Он же этим поставит своих друзей в неловкое положение. Но, повторюсь, я уверена, у него всё в порядке, просто он немного старомодный и тебе не говорит. Ты спроси его с любовью, он тебе все расскажет, и успокоишься, все у тебя, как у людей, будет.

– Как у людей?

– Как у людей, у нормальных людей. Поговори с ним и набери меня.

Зинаида Максимовна откладывать допрос не стала:

– Миш, как ты думаешь, муж и жена должны друг другу всегда правду говорить?

– Что случилось? С чего такой вопрос? – Михаил Анатольевич, внешне похожий на странный симбиоз Евгения Леонова и Гари Олдмана, рылся в «Спорт-Экспрессе», громко шурша листами, поэтому вопроса как будто бы даже не заметил. Зинаида Максимовна, как мы понимаем, не отступила:

– Ну ответь.

– Конечно, иначе зачем вообще брак нужен. И так вокруг одно вранье. – Он продолжал поиски нужной статьи, поэтому отвечал немного сквозь жену.

– И ты всегда говоришь мне правду?

Наконец он понял, что беседа перестает носить бессмысленный характер:

– Зин, что случилось?

– Обещай мне, что скажешь правду.

– Обещаю.

– Кто у тебя есть, кроме меня? Меня это не обидит! Это более чем нормально, просто я переживаю, кто эта женщина. Не хочу, чтобы ты из-за страха меня обидеть влез в какую-то историю, так что ты... – Смятение, сопереживание и искренность, источаемые Зинаидой Максимовной, залили всю их многокомнатную квартиру. Михаил Анатольевич опешил:

– Зинуль, ты чего? У меня нет никого... и не было, я тебя люблю.

– Конечно, любишь! Я в этом не сомневаюсь! Просто... Мне кажется, это нормально, а я бы хотела, чтобы мы жили без секретов. Я женщина очень своевременных взглядов... тьфу!.. – Зинаида Максимовна волновалась, – в смысле – современных.

– Зин, ты о чем? Кто тебе голову заморочил?

– Да никто, сама себе заморочила, ну просто мне кажется это нормально, после стольких лет брака завести любовницу, и я бы тебя поняла.

– Зина! Мне не нужна любовница! Я люблю тебя, понимаешь?

– Ну ладно...

– Что значит «ну ладно»?! Ты как будто огорчена!

– Нет, я не огорчена... Я просто озадачена. Неужели так сложно сказать правду...

– Я сказал правду!!! А, я знаю, в чем дело. Это Виолетта?! Дура конченая. Господи, жениться надо не на сиротах, а на социопатках без подруг.

– Как тебе не стыдно?! Она так тебя любит! И потом, она жена Николая Георгиевича, а он друг твоего акционера, я бы на твоем месте радовалась, что мы дружим.

– Я радуюсь! Безмерно! Но ты все-таки выкинь эту дурь из головы. Не все такие, как Виолетта и ее окружение, понимаешь, не все. Хотя согласен: таких большинство, но есть исключения.

В этот момент Зинаида Максимовна вспомнила слова Виолетты про социум и крепко задумалась. Через пару дней они встретились с подругой снова.

Виолетта, выслушав доклад, вынесла вердикт:

– Да врет, конечно. Ну он еще пока как-никак молодой, вы же сексом вряд ли занимаетесь, с кем-то он должен это делать.

– Почему не занимаемся? Занимаемся. – В голосе Зинаиды Максимовны звучал намек на стыд.

– Ну раз в год – это не в счет.

– Мы не раз в год. – Стыд перешел в раскаяние.

– О'кей – два, не суть.

– Виолетта, ну мы вообще-то раз в неделю… – Раскаяние превратилось в возражение, которое, в свою очередь, радикально изменило эмоциональный фон Виолетты.

– Вы в браке 15 лет и занимаетесь сексом раз в неделю?! Ты можешь хотя бы мне не врать?

– Зачем мне тебе врать?

Многие бы не нашли, что сказать, но только не Виолетта Александровна Красина, в девичестве Линько. Она сингулировала весь свой вес в убойный аргумент:

– Тогда у него точно любовница! Он же сексоголик. Это очевидно. Зина, ты в этом вопросе, думаю, не очень подкована, а я тебе глаза-то раскрою. Мужик либо каждый день, либо раз в месяц. Раз в неделю – это точно какая-то фальшь!

Остатки Зинаиды Максимовны изумились:

– А Коля что, каждый день?!

– Каждый день мы с девочками ему не даем. Помрет еще от таблеток. Но три раза в неделю это...

– С какими девочками?! Кто кому не дает, я ничего не понимаю!

– Ну с любовницами его. Мы все совместно решаем. У нас чат на троих. – Виолетта была предельно деловита и распорядительна.

– Господи, какой кошмар... Может, ты еще у них отчет получаешь? Как у тех, кто собаку выгуливает?!

– Конечно, а в чем разница? Если по большому счету-то. И там, и там кобель с инстинктами и без мозгов.

Виолетта внимательно разглядывала бокал красного вина, как будто и правда искала там истину. Зинаида Максимовна продолжала смотреть программу «Тайны Вселенной».

– Прости, а Коля, Коля про ваш чат знает?!

– Нет, конечно! Он думает, что они друг про друга не знают, он же очень добрый человек, переживает.

Менее опытная подруга опрокинула бокал и решилась на новый вопрос:

– Я сейчас напьюсь. А пока я еще соображаю, скажи мне, как ты их всех вычислила… как познакомилась, как установила контакт?

После некоторой паузы ведущая программы «Тайны Вселенной» серьезным голосом попросила подругу:

– Зиночка, повернись спиной.

Та исполнила, но все-таки уточнила:

– Зачем?

– Ну я тебя прошу. Ага. Пока не растут.

– Кто не растет?

– Крылья у тебя не растут! Я на тебя смотрю и в ангелов верить начинаю. Ты что, до сих пор не поняла? Я же ему их и нашла! Проверила на вшивость, даже на детектор лжи посадила, и обо всем с ними договорилась, в том числе и о бюджете, чтобы варежку особо не открывали. Через год-другой, конечно, поменять надо хотя бы одну, а то Коленька заскучает и начнет на сторону смотреть, а я этого не могу допустить.

На этот раз пауза была достойна сцены МХТ. Виолетта доедала стейк. Зинаида Максимовна просто уставилась в никуда. Потом она уже буднично, без всякого любопытства и придыхания спросила:

– Виолетта, скажи, а ты с них откат не думала получить?

Г-жа бывшая Линько наполнилась восхищением:

– Зина, вот всегда говорила, что ты из нас самая умная! С новенькой точно надо взять. Отличная мысль. Зинуль, ты так не переживай, это сначала тяжело, потом втянешься, а главное, я повторюсь, если у него нет любовницы и он не собирается ее завести, то, если честно, это еще хуже. Его люди не поймут. Станет изгоем. Это же девиация.

– Мне казалось, девиация – это что-то другое.

– Девиация – это то, что большинство считает девиацией.

Зинаида Максимовна наконец насторожилась. Мало что ее могло напугать больше, чем изоляция. Однако на ее мужа угроза не подействовала.

– Какое общество? Какая изоляция? Вы там совсем рехнулись! Ты вот сейчас серьезно?! – Михаил Анатольевич впервые за пару лет кричал на жену. – Ты меня сейчас уговариваешь завести любовницу, потому что это теперь нормально?!

– Или сознаться, что она есть; я уже не знаю, чего я хочу, я в какой-то панике, а вдруг у тебя начнутся проблемы на работе...

– Да, разумеется, там всем есть дело до моей личной жизни. Успокойся, Зиночка, все будет хорошо, не нужна нам любовница.

Следующим утром верного мужа вызвал к себе акционер компании, которую Михаил Анатольевич возглавлял. Акционер, как вы помните, был другом мужа Виолетты.

– Миш, это правда?

– Что именно, Петр Михайлович?

– Что у тебя нет любовницы? – Петр Михайлович смотрел на верного мужа, как отец на сына-двоечника.

Михаил Анатольевич завис, словно пиратский Word, но собрался.

– А это имеет какое-то значение? – робко поинтересовался Word.

– Ну как тебе сказать... Если бы ты не придал этому факту огласку, сидел бы со своей верностью дома и никому бы не говорил, то не имело бы, а теперь информация выливается. Твоя жена с Виолеттой это все обсуждает, та с другими людьми.

Ситуация нехорошая. Надо решать как-то. Ты всех подводишь.

– Вы сейчас серьезно?! Своей верностью жене я всех подвожу?!

– Да. Ты ставишь под сомнение принятые в нашем дружном коллективе устои. Короче. Реши ситуацию. Я два раза повторять не буду. Мне и так уже всю голову тобою прожужжали.

Михаил Анатольевич так обалдел, что сделал неожиданный ход.

– Ладно. Сознаюсь. Я от жадности. Это же какой бюджет. Что-то приличное сразу квартиру потребует, хотя бы однокомнатную.

Петра Михайловича отпустило. Он рассмеялся.

– Вот всегда был в тебе уверен! Нормальный ты мужик! Ну а жадность, что тут скажешь, кровь не вода. Квартира с меня. Это дело благое. Тем более у нас там стоят продажи в одном доме, в какой-то глухомани. Решим, короче. Ищи что-то приличное.

– Спасибо, конечно, а где искать-то?

– В синагоге! Ну договорись с секретаршей. У тебя вон грудастая, хоть и туповатая. Самое то, лучше, чем наоборот.

Михаил Анатольевич понял, что шеф его не шутит, изумился радикальному изменению времен, включил национальный инстинкт самосохранения и понял, что ситуацию придется «решать». Вечером он сам вышел на разговор с женой.

– Зинуль, это какой-то дурной сон, но ты права насчет любовницы. Твоя ненормальная Виолетта разнесла ваш разговор по всей деревне, и меня разнес Петя, требует, чтобы я был как все. Я даже не знаю, что делать.

Зинаида Максимовна даже как-то обрадовалась.

– Ну слава богу, нашелся умный человек, предупредил тебя по-дружески. Вот и заведи, я не против. – Михаил Анатольевич отметил про себя, что последнюю фразу его жена произнесла со скрытой грустью.

Следующим утром Михаил Анатольевич пригласил секретаршу в кабинет, усадил на диван и задал вопрос:

– Ниночка, как у вас с жилплощадью?

Верхняя и средняя пуговицы Ниночкиной блузки расстегнулись самостоятельно. Сдержать напор груди, рвущейся в глухомань, они не смогли.

Михаил Анатольевич их застегнул и озвучил предложение.

А еще через неделю секретарша позвонила Зинаиде Максимовне и попросила о встрече.

Ниночка взяла Зинаиду Максимовну за запястье и с какой-то родственной тревогой произнесла:

– Зинаида Максимовна, я бы никогда вас не побеспокоила, если бы не крайняя необходимость, просто ваш муж... он вас обманывает, а я человек с принципами и решила, что вы должны знать правду.

– Я все знаю, мой муж спит с вами, и я ничего не имею против, даже скорее за, вы все-таки свой человек.

– Зинаида Максимовна, в том-то и дело, что он со мной не спит... Он вам врет. Деньги платит, даже домой ко мне приезжает, но не прикасается ко мне.

– То есть как это не прикасается?!

– Да вот так! Он мне сказал, что вы бы хотели, чтобы у него была любовница, и в этом я вас поддерживаю. Солидный человек как-никак. И вот, представляете, он меня уговорил стать его фиктивной любовницей. Он мне даже квартиру пообещал, маленькую, правда, и далеко, но надо с чего-то начинать. Так вот, он при этом меня не трогает. Я сначала подумала – шутит, ну игра такая сексуальная, а оказалось, он и правда ничего не хочет со мной делать. Так унизительно.

– Что значит – «не хочет»? Я ничего не понимаю. Может, он стесняется? Вы давали ему понять, что готовы... ну...

– Давала. Я намекнула.

– Как?

– Я его голая встретила, когда он первый раз приехал!

– А он?

– Он так на меня посмотрел... ну не знаю, как сказать... в общем, по-мужски... Сказал, с меня картины писать надо, но попросил одеться и просто заниматься своими делами, а сам читал газету.

– «Спорт-Экспресс»?

– Да, вроде...

– Достал меня со своим футболом. Ладно.

– Я еще подумала, мало ли он, того... ну, не может...

– Все он может, пусть не прикидывается, дома-то может как часы, что в гостях выделываться-то, не пойму.

– Да я поняла, что может, я его прямо так за это место взяла... Повезло вам с ним, конечно...

– С мужем?

– С местом этим у мужа. Я прям позавидовала. У меня таких не было.

– То есть, подожди, ты его, прости... за член взяла, тот стоит, а он все равно ничего делать не стал?!

– Да. Говорит, любит вас, и нужно уметь себя сдерживать. Если честно, мне кажется, у него какая-то вами одержимость. Я с парой подруг поговорила, все в один голос – маньяк.

– Да точно – маньяк! – Версию Ниночки активно поддержала Виолетта, которой Зинаида Максимовна в деталях все рассказала.– Он опасен! Он реально тебя придушит когда-нибудь, если ты кого-то заведешь, помоложе, а я работаю над этим.

– Над чем?

– Не важно, потом все расскажу. Короче, срочно к психологу, его спасать надо, а то тебя потом не спасем. Случай сложный, нужен специалист высокого уровня. Это, конечно, расходы, но... Я все решу.

– Спасибо, Виолетта, что бы я без тебя делала... Я сейчас подумала: а ведь и правда Миша не совсем в порядке...

К обсуждению психолога Михаила Анатольевича подготовил разговор с Петром Михайловичем, который был четок в формулировках.

– Миш, ты что, совсем страх потерял? Ты чего творишь?! Ты реально свою, как ее там, я забыл, не трахаешь, что ли?! Квартиру, то есть, мы ей дарим, а ты филонишь. Из нас всех идиотов решил сделать? Это что за кидок? Я что, тебе верить не могу?! Ты меня, своего друга, обмануть решил?

— Петь (они были знакомы давно, тем не менее субординация заставляла Михаила Анатольевича обращаться к старому другу по имени-отчеству, но сейчас ситуация была исключительная), ты что, да я... Да ты мне верить как себе можешь! Ну не смог я, ну люблю я Зину, ну я попробовал...

— Попробовал он! Значит, надо было свою корову язык за зубами попросить держать (корову — это я про секретаршу), дал бы ей легенду, чтобы она везде говорила, как ты ее дерешь регулярно, все бы довольны были. У меня МИНИСТР, понимаешь, МИНИСТР про тебя узнавал, спрашивал, что я там у себя развел в коллективе, непотребство какое-то. В общем, так. Даю тебе неделю, чтоб стал нормальным человеком. К врачу сходи! В отпуск! Хочешь, бабу найди вменяемую для легенды, хотя тебе сейчас придется в наш «каравай» вписаться, чтобы я всем мог сказать, что ты нормальный.

— Какой каравай?

— Ну мы так групповуху называем. Раньше тебя не звали, она для акционеров, ну а сейчас придется.

– А почему каравай?

– Каравай, каравай, кого хочешь выбирай. Хотя мы тут Кошкина на последнем каравае потеряли. Так что хрен знает, когда будет, но будет.

– Он что, на вашем этом каравае умер?

– Ну да.

– Сказали же – дома...

– Ну ты что, целую операцию организовали, чтобы он «дома» умер. Хорошо, его жена в теме, помогла, хотя и пришлось с мертвым мужем дома полежать... но не суть. В общем, ты меня понял. Ситуация зашла в депо. А времена сложные. Я тебя как друга прошу. Трахай, кого хочешь, хоть кота моего, но чтобы все успокоились. Чтоб был как все.

После такого вливания Михаил Анатольевич был готов ко всему, но от тональности и напора своей жены все равно потерялся.

– Миш, нам надо серьезно поговорить. Я тут с Ниночкой встречалась. Не перебивай. Ты, оказывается, всех обманываешь. Не перебивай, я сказала! Я все знаю в деталях. Если честно, я очень обеспокоена. У тебя какая-то одержимость и патология. Я уже молчу о том, как ты нас всех позоришь в обществе своей псевдонравственностью, но это еще пережить можно. Я волнуюсь за свою безопасность. Ты какой-то маньяк, по всеобщему мнению.

– Зина. Ты в своем уме?! Я просто тебя люблю – и я маньяк!!!

Он захотел взять жену за руку. Но та резко его оттолкнула.

– Не трогай меня. Пока мы не сходим к врачу, будешь спать в кабинете.

– К врачу?!

– Да, к лучшему московскому психологу.

– И с какой проблемой мы к нему придем? – Михаил Анатольевич попытался вырваться из тисков Матрицы.

– Ты не хочешь мне изменять. Ты сконцентрирован только на мне. Это патология. Я предварительно с ним пообщалась. Он тоже так считает. Ты спроси у своих друзей, просто из любопытства – ты один на весь город.

– И что?!

– А значит, ты ненормальный. А у нас дети. Я боюсь за них. Если к врачу не пойдем, я… я о разводе задумаюсь. – Зинаида Максимовна наполнила глаза слезами.

У Михаила Анатольевича от этого приема всегда стонало сердце.

– Зина, ты что… Я без тебя жить не могу.

– Вот именно!!!

– Да я когда в командировке сплю без тебя, я заснуть не могу. Ты что... Ну хочешь, пойдем к врачу, я все сделаю, как ты хочешь...

Через три месяца упорной работы психолога у двух людей в Москве появились новые машины. У самого психолога и у девушки Лизы, которую Зинаида Максимовна лично выбрала для своего мужа после месячного кастинга. Ниночку она решила все-таки поберечь на черный, так сказать, день. В семье Сырниковых вновь воцарилась гармония.

Через год Михаил Анатольевич сказал Зинаиде Максимовне, что больше так не может, собрал вещи и ушел к Лизе, в которую в итоге влюбился.

Подруги Зинаиды Максимовны торжествовали, как и сама, казалось бы, пострадавшая. Михаил Анатольевич, по общему мнению, оказался нормальным мужиком, – таким же кобелем, как и все, только еще в итоге бросившим жену после стольких лет брака, что, конечно, перебор, но допустимый, особенно с учетом его щедрости при разводе. Как вы понимаете, из социума он не выпал, равно как и Зинаида Максимовна, которая пыталась наладить дружбу с новой женой своего мужа и передала ей подробную инструкцию по эксплуатации. Урок общественного поведения Михаил Анатольевич усвоил, поэтому иногда участвовал в каравае, но в остальном хранил верность Лизе, объясняя ее тем, что она и так выжимает из него все соки, а также наконец постучавшейся к нему в двери сексуальной немощью. Эти причины были приняты обществом как достойные на первом этапе нового брака. На некоторое время общество оставило его в покое, но приглядывало.

На днях рождения детей Зинаида Максимовна и Михаил Анатольевич под столом держались за руки. Тайком от всех. Их сердца перестукивались. Зинаида Максимовна потом ночью плакала. Начала она с успокоительных, закончила мощными антидепрессантами. Михаил Анатольевич после таких встреч листал в телефоне их семейные фотографии и писал какие-то четверостишия. Начал он с водки, закончил ею же.

Любовь – очень живучее чувство. Победить его можно только коллективными усилиями всех окружающих.

ПОСЛЕДНИЙ БОЙ БАРОНЕССЫ ЭМИЛИИ ФОН КУННЕНФЕЛЬД

Эта невообразимая история произошла в... нет, не могу, не скажу где. Уж слишком много высоко- и низкопоставленных особ могут себя в ней узнать, а дело, знаете ли, предельно интимное. Единственное, что отмечу, – речь об Австрии. И да, может, я что-то упустил в силу стремительности событий, но история абсолютно реальная.

Далеко шагнула Европа в вопросах удобства нарушения моральных устоев.

Итак, Хельмут Хайдер вернулся домой в благостном состоянии, а всего через две минуты заперся в туалете и подумывал в нем повеситься или утопиться. Случилась катастрофа. Вот какая.

Хельмуту исполнилось тридцать семь. Многие к этому возрасту умудряются как следует встряхнуть мир, ну а Хельмут... Хельмут просто гулял с собакой, и то не со своей. Такса по имени Бруно принадлежала его жене, г-же Элизабет Хайдер, и их отношения насчитывали семь лет, в то время как с Хельмутом Лиза познакомилась всего год назад. Нельзя сказать, что это была любовь, скорее правильная случка: хорошие семьи, успешная карьера, спокойная старость. У Хельмута – маленький бизнес и дочь, у Лизы – немного земли и Бруно. Чем не пара? Лиза подружилась с дочерью. Хельмут с Бруно. Иногда они даже гуляли все вместе. Хотя, как понятно, мужчина с таксой выходили на променад чаще.

И вот очередным вечером Хельмут заявляется с четвероногим другом домой, в прихожей полутьма, Элизабет забирает пса в ванную комнату, чтобы помыть лапы, и моментально возвращается назад. Включает свет и металлическим голосом прибивает стягивающего ботинок Хельмута к плинтусу.

– Хельмут! Где Бруно?!

При этом Элизабет держала таксу пузом к мужу. Тот не очень понял вопрос, но, услышав интонацию, решил отреагировать:

– Прости, а кто у тебя в руках?

– А кто это, по твоему мнению?! – Элизабет зверела на глазах.

– Бруно... – Хельмут наконец снял ботинок и стоял теперь в одном. Что происходит, он не понимал.

– Хельмут, это не Бруно!!! Ты что, не видишь?!

– Почему не Бруно?

– Потому что у Бруно другой ошейник и поводок! И еще одна незначительная деталь!!! У Бруно есть яйца, которых у тебя сейчас не будет, потому что у этой собаки их тоже нет!

– А куда они делись? – Хельмут понимал, что порет чушь, но остановиться не мог.

– Ты что, идиот? Бруно – кобель! А это – сука! Куда ты, сука, дел Бруно?!!

Хельмут подошел к жене, внимательно посмотрел на собаку, не увидел некоторых частей тела и холодно отрезал:

– Меня сейчас вырвет, пусти меня в туалет, я вернусь и попробую все объяснить.

У каждого мужчины должен быть план «Б» на случай немедленной эвакуации. У меня – аллергия, а у Хельмута – поддельная нервная реакция на стресс в виде дурноты. Реально плохо ему было лишь раз в жизни, но сыграть такое перенапряжение удавалось регулярно. Этот прием давал ему лишние пять-десять минут на раздумья, а что еще нужно в критической ситуации?

Я, надо сказать, дошел до плана «Б» своим умом. Повторюсь, в моем случае я нагло использовал аллергию. Ну допустим, приходишь к девушке домой с целью открытия ларца наслаждений, открываешь, наслаждаешься и немедленно хочешь свалить. Ты все получил, а она… ну кому это важно, ей-богу. Она ведь уже совсем не та теперь. Удивительно, конечно, как иногда меняется женщина после первого секса. И я настаиваю – меняется именно она, а не наше к ней отношение. Уверен, вот эта внезапная потеря привлекательности и снижение IQ абсолютно объективны. У женщин что-то там на клеточном уровне происходит после первого секса с новым партнером, кожа ухудшается и мозг замедляется. Мы, мужчины, ни при чем.

Так вот, именно в такой момент приходит на помощь аллергия. Изображаешь приступ и спокойно исчезаешь. Аллергия может быть на что угодно – от котов до кафеля. Также аллергия помогает, если как-то масштабно облажался и нужно ненадолго переключить внимание. Бывают, конечно, перегибы. Спрашивают, почему это от тебя пахнет чужими духами, а ты – р-р-р-раз и говоришь: «То-то я не пойму, чего это я задыхаюсь». Могут не поверить.

Как вы уже поняли, Хельмут использовал не аллергию, а более серьезный рычаг: изобразил приступ и заперся в туалете. Где он потерял Бруно, Хельмут понял сразу. Но рассказать об обстоятельствах потери жене было бы равноценно разводу и вышеуказанной кастрации.

В это же время студент Манфред Хаас вошел в квартиру девяностодвухлетней баронессы Эмилии фон Кунненфельд. Бабуля вышла на финишную прямую, передвигалась несколько лет исключительно на коляске, но финансовое состояние позволяло окружить себя достаточным количеством помощников, точнее (назовем все своими именами) – слуг. Деньгами и добрым словом можно всегда достигнуть большего, чем просто добрым словом, особенно в старости. Также необходимо сообщить, что детей и внуков у нее не было, и вся дворянская любовь сконцентрировалась в последнее время на таксе Ди, дочке, как вы понимаете, другой таксы, жившей с Эмилией ранее. Помните, Бэрриморы служили Баскервилям поколениями – так вот, с таксами иногда то же самое. С Ди, разумеется, нужно было гулять, и уже три дня для этих целей использовался незаконный труд вышеуказанного юнца.

– Манфред... Принеси мне ее... – баронесса обычно держала собаку у себя на груди. Кстати, раньше грудь была ого-го. Ну то есть она и сейчас выглядела весьма удобной, для таксы уж точно.

– Одну минуту.

Ну, вы уже можете представить, что случилось дальше. Собаку отдали хозяйке, та взяла ее в руки, погладила по бархатному животу... и обнаружила у любимицы некоторый апгрейд. Она несколько раз провела рукой по собачьему достоинству; Бруно даже как будто заулыбался, разомлел и начал издавать свойственные моменту звуки.

Думаю, именно это, а не сам факт исчезновения любимицы вызвал у баронессы, славившейся своим мужененавистничеством, приступ ярости, да такой, что она совершила чудо или подвиг. Тут как посмотреть.

Элизабет фон Кунненфельд встала с кресла.

Если бы в тот момент ее видел лечащий врач, он бы не поверил. Долгие годы лучшие медицинские умы Австрии не могли поднять знатную даму, а вот студент Манфред Хаас смог. Его потом долго допрашивали, он во всем сознался, но медики все равно недоверчиво качали головами. По всем законам физики, анатомии и других наук Эмилия не имела права отлипать от инвалидного кресла, тем не менее…

Я не врач, но думаю, г-жа Кунненфельд искала повод перебраться в мир иной в бою, как это делали ее средневековые предки, и наконец нашла. Гордая представительница великого рода взяла Бруно за шкирку, размахнулась и метнула его в Манфреда, как копье, да так, что сбила парня с ног. Затем она попыталась что-то сказать, погрозила пальцем всему роду мужскому и рухнула замертво. Уход, достойный кисти.

Бруно, не привыкший к такому обращению, со страха рванул в открытую дверь, оттуда на лестницу и скрылся в неизвестном направлении. Манфред лежал в одном углу комнаты, труп баронессы – в другом. До приезда скорой и полиции домоправительница попросила Манфреда не вставать. Хорошо, что мелками не обвели, говорят, это плохая примета.

Тем временем Хельмут в туалете судорожно соображал. В необычном месте потерял австриец таксу. Точнее, не потерял, а поменял. Случайно, разумеется. И снова вернемся на несколько месяцев назад. Не испытывая никогда большой любви к животным, нововыпеченный муж вдруг стал проявлять инициативу в самом неожиданном вопросе. Он начал гулять с собакой. Бруно и Элизабет, разумеется, не поняли такого рвения, но особо не спорили. Возвращался с прогулки Хельмут всегда розовее и счастливее, чем был. Хотя нет, соврал. Не всегда. Приблизительно раза три-четыре в месяц. Почему, спросите? Совершенно верно. Радует, что все сразу угадали. Это же так очевидно.

Хельмут ходил в бордель, при котором для удобства посетителей была гостиница для собак. Точнее, гостиница для собак и служила единственной причиной существования борделя. Так сказать, ключевое конкурентное преимущество. Ноу-хау или даже ноу-вен.

Ну чего непонятного? Клиентоориентированность. Это же бесподобно. Взял собаку из дома, пошел выполнять полезную семейную работу, выгуливать питомца, все родственники на тебя молиться будут. Никаких вопросов «где провел час». Шестьдесят минут абсолютной мужской свободы. Даже самый чугунный колпак не будет звонить и спрашивать, что ты делаешь.

Пришел к феям, собачку сдал в местную камеру хранения, через полчаса забрал и дунул домой. Более того, феям можешь свою спешку объяснить интересами животного. И все тебя понимают! Австрийцы – гении.

И надо же такому случиться, что Хельмут и Манфред пришли в публичный дом одновременно. Причем Манфред в первый раз. Девушки Манфреду отказывали, а любви хотелось. Дальше все предельно просто. В организации борделей с гостиницей для собак тоже нужны хоть какие-то мозги и расчеты. Отдельных номеров для четвероногих хранителей алиби построили меньше, чем комнат для духовного падения их хозяев. Короче говоря, Ди подсадили к Бруно, который, возможно, и обрадовался, так как чувствовал колоссальную несправедливость. Хозяин трахается благодаря Бруно, а сам Бруно – нет. И тут такое чудо. Однако случилась ли у Бруно любовь, история умалчивает. Студент ожидаемо справился со своей страстью за пару минут, перепутал такс и ушел домой. Хельмут вышел позже, забрал единственную таксу и… сидел теперь в туалете, используя предоставленные ему пять минут.

Мыслей было много, но все никуда не годились. Как можно объяснить замену собаки? Магазин? Что он там купил? Друзья? Откуда он взял эту таксу? Отпустил на прогулке и подобрал чужую?.. Может прокатить, но это значит, в парке гулял с собакой еще один идиот, а главное – Хельмут не понимал, кто все-таки забрал Бруно и как его найти. И больше всего растяпу раздражал сам факт нахождения в туалете. Миллионы лет эволюции и свободной воли, чтобы позорно прятаться за унитазом! Неожиданно для себя самого Хельмут решил, что настало время выйти за рамки социального рабства, признаться в пороках и принять удар судьбы. Да, пусть его осудят, но он не будет скрывать свои желания и действия. Более того, он вдруг решил, что, возможно, брак с Элизабет вообще был ошибкой. «Может, пора ее исправить?!»

Борец за права мужчин вышел из туалета и громко заявил.

– Я был в борделе, в котором есть гостиница для собак, и случайно забрал чужую таксу. Вернусь – разберусь.

Хельмут приготовился умереть и смотрел злому року прямо в голубые глаза. Он впервые ощутил себя независимым мужчиной. Революционером и Бруно, Джордано Бруно, разумеется. Элизабет после определенной паузы ответила непредсказуемо.

– Бордель.

В голосе звучал скепсис.

– С отелем для собак?

В голосе звучали скепсис и ярость.

– Ты меня совсем за дуру держишь?!

Скепсис из голоса ушел.

– Это что за цирк?! За идиотку меня держишь? Ты реально считаешь, что я куплюсь на такую примитивную манипуляцию?

– Какую, Лиз?

Изумлению правдоруба не было границ.

– Ты мне скажешь про бордель, я начну ревновать, переключу внимание с собаки на тебя и забуду про Бруно?! В гробу я видела твой бордель, если что! Говори правду, как ты потерял мою собаку? Правду, я сказала!

Хельмут разочаровался в жизни, в отношении к себе, в своем месте в системе ценностей жены и понял, что правду придется придумывать.

Правда вообще людям, как выясняется, нужна чрезвычайно редко, истина во лжи. Ложь мы любим и даже хотим слышать. Так что подумайте сто раз, прежде чем решите сказать близкому человеку правду. Можете его обидеть и разочаровать.

– Ну да, не очень про бордель получилось. Лиз... я не знаю, как тебе сказать. Мне очень стыдно. Я его отпустил... он сбежал... я... весь парк обошел, куда делся, не знаю... А эту собаку я взял в долг... Там в парке много такс гуляет... Один человек за 500 евро согласился. Думал, ты не отличишь. А я пока нашел бы Бруно и потом эту вернул. Мне нечего больше сказать. Я обещаю тебе, что найду Бруно!

Элизабет стояла абсолютно раздавленная. И дело было не только в исчезновении питомца. Неприятная для любой жены мысль вошла в ее голову и не хотела выходить. Оказалось, что Лиз любила Бруно больше, чем Хельмута. Но Лиз была не Эмилией. Она не встала, а села. Села на пол и заплакала.

– Лиз, я обязательно его найду... Лиз...

– Иди искать сейчас. И знаешь, если не найдешь – не возвращайся. Я правда не уверена, что тебе нужно возвращаться, даже если ты найдешь Бруно. Я не уверена, что у меня есть к тебе какие-то чувства. И забери этот фейк.

Она поставила Ди на пол.

Хельмут не ожидал такого откровения. Он натянул ботинки, взял в руки Ди и собрался уйти в неизвестность навсегда. Шансы найти Бруно, по крайней мере быстро, стремились к нулю.

Практически бывший уже муж открыл дверь.

В квартиру немедленно влетел Бруно.

В этом нет ничего удивительного. У собак какой-то GPS-навигатор, они иногда находят дорогу домой за сотни километров, что уж говорить о соседних улицах. Бруно бросился к Элизабет, та разрыдалась еще больше.

– Бруно, мой мальчик, я всегда знала, что ты найдешь меня! – Бруно был неистово затискан, Хельмут стоял с Ди, и оба чувствовали себя лишними на этом Дне святого Валентина. Наконец Элизабет насытилась возвращенной любовью и как-то буднично прокомментировала произошедшее.

– Хельмут, прости, сказала лишнее, просто перенервничала. Я рада, что мы вместе, просто Бруно… ну, он для меня всё. Не обижайся. А эту собаку надо все-таки вернуть, уже завтра, конечно, сегодня пока может побыть у нас, но в прихожей, не надо ее в гостиную пускать.

– Пойдем, Бруно, не надо так на девочку смотреть. У тебя есть я.

Бруно и Ди вновь разлучили. Счастливых в квартире стало еще меньше. Хельмут взял таксу на руки и понял, что его место тоже в прихожей. Посидев минут десять, он пошел в бордель. Там принимать Ди отказались. Контактов Манфреда ни у кого не оказалось, за собакой он не явился, поэтому Хельмуту предложили оставить свой номер телефона и уйти вместе с Ди. Так он и поступил, Элизабет даже не спросила, куда он ходил с собакой и почему вернулся опять с ней. Ей было не до них.

Утром следующего дня в дом к Хельмуту и Элизабет пришла ее сестра.

– Слышали новость? Умерла баронесса Кунненфельд и оставила все состояние своей собаке Ди. Такса, как ваша, кстати. Но накануне студент, который с ней гулял, зашел в публичный дом, в котором есть, не поверите, отель для собак (господи, чего только не придумают для кобелей!), так он там ее перепутал с другой таксой, принес домой, баронесса от горя и ярости умерла, неправильная такса сбежала. Бедные ее хозяева, надеюсь тому человеку оторвут яйца, если он женат, конечно. Но теперь все ищут Ди, так как по завещанию ей достанется 13 миллионов евро и не прописано, кто именно должен за ней ухаживать. Теоретически тот, кто забрал Ди, может как следует посудиться за эти деньги. Понятно, что себе он их не заберет, но в течение всей жизни таксы отказывать себе ни в чем не будет. А у вас-то почему две собаки? Откуда вторую таксу взяли?

Элизабет посмотрела на Хельмута, потом на Бруно, потом снова на Хельмута, потом на Ди (утром она пробралась в столовую), собралась что-то сказать, но Хельмут ее опередил.

– Лиз, мы с Ди ушли за наследством, может быть, я вернусь. Позвони мне, если между нами остались какие-то чувства. Пойду включу телефон, наверняка там много пропущенных вызовов.

На похоронах баронессы фон Кунненфельд Хельмут стоял рядом с гробом и держал на руках Ди. Он первым кинул землю на гроб, а пламенную речь внезапный регент посвятил несгибаемой воле усопшей, которая своей жизнью и, что самое важное, смертью подала пример истинного австрийского характера всем подрастающим поколениям.

А вот бордель по требованию общества защиты животных прикрыли.

Как вы понимаете, его клиенты были вынуждены продолжать так же рьяно и регулярно выгуливать собак. За это они ненавидели Хельмута еще больше. Так всех подставить!

Манфред Хаас продолжил работу с Ди. Хельмут платил ему по тройному тарифу.

Иногда Ди и Бруно встречались в парке. Интересно, узнавали ли они друг друга? Наверное, нет. Надеюсь, что нет. Это было бы слишком жестоко.

ИНТУИЦИЯ

«Интуиция» – это будущий спектакль по замечательной идее Константина Юрьевича Хабенского, моего друга, партнера и учителя, о людях, которые только что умерли, очнулись на том свете, и мы можем услышать их первые монологи: воспоминания, сожаления, переживания. Они еще не отпустили ту жизнь, из которой они выпорхнули, и думают, что бы они могли в ней исправить, хотя бы в этом последнем дне. От ситуаций сатирических до трагических. В этой книге представлены четыре истории, ну а совсем скоро их будет двенадцать, и мы с вами будем выбирать ту историю, герою которой мы сочувствуем более всего.

ВОТ ЧТО Я ЕЙ ТОГДА НЕ ПОЗВОНИЛ?..

...Вот что я ей тогда не позвонил?.. Ведь и телефон был. Представляешь, помнил его наизусть лет сорок, получается. Ничего не мог запомнить, а его не мог забыть. 36-55-14. У них еще тогда по шесть цифр было. Жизнь кажется длинной, а потом вот – р-р-р-раз – и сидишь тут, с собакой разговариваешь. Я много раз хотел набрать. А что скажу? Привет, ты как? Я нормально, женат, двое детей, девочки, внук даже есть. Кого люблю? Девочек? Конечно! Жену? Ну… она мама хорошая…

А она вдруг скажет: «А у меня все плохо, жизнь не сложилась, жаль, ты тогда не позвонил. Я так ждала».

Я и тогда-то испугался ответственность взять. У нее ребенок от кого-то, я нищий. Ну куда мне все это. Но телефон-то помню.

А уж если ей сейчас плохо, то начал бы себя корить, что во всем виноват, еще полез бы спасать. Точно бы полез. Знаешь, иногда лучше про чужие беды не знать. Просто если знаешь, то не помогать как-то неприлично. А если не знаешь, то какие вопросы.

Надо было позвонить. Хотя бы раз голос услышать. Пусть лет через двадцать, еще бы узнал. Сейчас, наверное, уже нет. Да она, может быть, умерла. Ты, может, ее видела. Может, сидела вот так, тебе про меня рассказывала, говорила: «Встретишь Колю Кирпичникова, откуси ему…» Нда-а, если она раньше меня на ваши суды попала и все обо мне поведала, рассчитывать особо не на что. Хотя… если так взять. Плохого я ничего не сделал. Разве что надежду дал на какое-то время. Но ничего не обещал, просто исчез, перестал трубку брать. А зачем? Только мучить.

Мне кажется, я вот как тогда полюбил ее, так больше никого по-настоящему и не любил. По-настоящему – это только если взаимно. Иначе все не то. А она меня любила. Вот вы, собаки, нас любыми идиотами любите. И она меня так же.

Надо было набрать.

Я когда начальника местного тут встречу, обязательно скажу, что предупреждать надо о том, что кран выключать собрались. У меня реально минуты две-три было. Так сердце прихватило, что понял – не успеть мне до больницы. Думаю, надо жене позвонить, предупредить, что к ужину не приду. А в голове только ее цифры – 36-55-14. Забыл все остальные номера, а рядом только городской. Ну я и набрал. А там гудки странные. На ее голос похожие. Я бы, знаешь, просто прощения попросил. Здесь ее нет, у кого попросить?.. У тебя только если. А что ты понимаешь? Молчишь. Дышишь. Хотя чего тут понимать. Ладно, если ты ее после меня встретишь, передай, что я прощения просил. Пойду я. Поищу, где выход. Запомнила? 36-55-14. Коля Кирпичников. Ах да, зовут ее... Господи, как же ее зовут-то?! Тьфу, вот склероз. Нет, ну подожди. Я не мог забыть. Я когда умирал, помнил, а сейчас забыл? Так не бывает. Помню, мне имя не нравилось, я еще ее Соней называл. Да что же это такое?! Вот придурок. Уфф. Смешно, ей-богу. Я же дочку в ее честь назвал. Это я на нервной почве. Не каждый день умираешь. Галина она.

Галина. Телефон в Рязани. 36-55-14. Коля из Москвы. Запомнишь? Прощения просил. Ну и передай, что до сих пор люблю. Я не знаю, может, ей от этого легче станет. Хотя какая здесь уже разница, но все равно. Вот так – раз и узнать, что мудак один трусливый всю жизнь о тебе думал, помнил… любил. Был бы здесь автоответчик, я бы ей сообщение наговорил и всё.

Надо было набрать. Надо.

ГРУДЬ

Ну и наркоз. Привидится же такое. А девочки предупреждали. Но это не зубы, по местной не сделаешь. Тоска, конечно, у меня в голове, раз такие галлюцинации. Так, минутку. Э-э-э-э… Нет. Нет! Нет, нет, нет, нет!!!

Я что, сдохла, что ли?! То есть я натурально сдохла на операции?! В 28 лет?! Мне врач сказал – один случай на миллион! Я что, одна на миллион?! Наконец! Одна на миллион. Любая баба мечтает такое услышать. А сдохла-то я из-за этого козла! Точно! Я же конченая дура, я идиотка, в 28 лет умереть из-за мудака. Надо мной же все телки ржать будут, это же не похороны будут, а «Комеди клаб»! А от чего Светка умерла? Рак? Ага! От глупости. Нет, я Макса здесь дождусь и лично ему глаза выцарапаю. Скотина. Как вспомню этот его взгляд снисходительный. Мол, ну да, Рябинкина, не дал тебе Бог. Ему, можно подумать, дал особо, я же молчала, а он, сука... не молчал.

И я ведь читала, что это все из детства, что у него там в детстве что-то криво пошло – то ли не кормили его нормально, то ли увидел кого-то голую, ну, в общем, я не виновата. Но мне же больше всех надо! И за свои деньги! Кредит взяла! Господи, я же у тебя такая одна, да? Ну скажи мне: «Света Рябинкина, ты у меня такая одна. Такая идиотка». Это же история для кино. Ради мужика решить сделать себе сиськи нормальные, взять кредит и умереть на операции. И кстати, вот да! Нормальные сиськи. Девки, не ведитесь на эту хрень. Любые сиськи – нормальные! То, что этому недокормышу дойки нужны были, – это вообще-то его проблема. Я же не просила его член увеличить, а не помешало бы! Нет, говорила, что все хорошо!

А он, сука, как на пляж приходил, так на каждую корову глаза сворачивал. А мне что делать?! Доска, два соска. Хотя соски красивые. У этих, с большими сиськами, не соски, а размазня, а у меня – как вишни. Интересно, соски-то остались? Кстати... А ведь правда интересно, успел врач импланты-то вставить? Хоть бы успел. Тогда на похоронах красоткой буду. Э-э-эх, догадался бы кто меня без белья хоронить или расстегнуть блузку. Сиськи-то стоять будут. Имплантам – им все равно, живая или мертвая. Фоточки красивые будут. Макс любил большие сиськи... Я ему сюрприз готовила. Представляю его лицо на похоронах, если он мои новые сиськи увидит. Мне кажется, его на всю жизнь колбаснет.

Это все, конечно, если врач честный. Может же импланты и вынуть. Скажет, что умерла до того, как вставили. Хотя они мои. Я 300 000 заплатила? Заплатила. Не имеет он права их себе оставлять. Но сегодня никому верить нельзя. Неужели кинет меня? Не должен. Мне его так рекомендовали. Хороший врач, говорят. Что я у него на столе умерла, о нем как враче, конечно, не очень говорит, но, может, хотя бы человек честный. Должен же понимать, что похороны – это самая крутая тусовка в моей жизни. Все придут. Однокурсники, одноклассники, родственники, дядя Коля, папин брат двоюродный, который лет с 13 меня трахнуть пытался, бывший мой... О, его же бывшая припрется! Точно! Вот она точно от зависти сдохнет! Прямо на кладбище! Тоже, кстати, доска. Вот Макс невезучий, вечно в селедок каких-то влюблялся. И тут я – молодая, красивая и с новыми сиськами. Жизнь-то удалась. Не зря все-таки к хирургу пошла, на хрен меня девочки отговаривали. Интересно, а в чем меня хоронить-то будут? Лучше бы, конечно, в том платье голубом. Только вот где оно?.. Ой, я же его из химчистки не забрала! Вот дура! Оно теперь там и останется! Обидно как, надо было забрать еще вчера, тогда бы точно в нем похоронили, ну не идиоты же все! Хотя маме не до того будет, а Макс вообще не видел разницы, в чем я хожу. Кроме Карины, никто об этом не подумает. Ну вот как так. Завещание надо было написать. А ведь шутили с Каришей, музыку еще подбирали нам на похороны. Жаль, я ей тогда про платье не сказала. Она бы запомнила. Дура! Один раз умираю, и так все провалить.

ОГОНЬ

Ну надо же. И здесь собаки. Ты туда или обратно? В смысле, может, тебя назад собакой отправят? Я бы не против. Честно говоря, если по образу и подобию, то как-то не очень получилось. Я, знаешь вот, инженер и могу сказать: конструкция очень хреновая. Ломается чуть что, запчастей не найти, а главное – ну никакой предсказуемости. Мне приятель со скорой рассказывал: привозят к нему за день двоих. Один с пятого этажа упал, представляешь, придурок. Решил посмотреть, нет ли очереди за пивом, ну вот и посмотрел. А второй лампочку на кухне решил поменять, стул на стол поставил, рухнул. Так у того, что с пятого этажа рухнул, сломана лодыжка, а у второго – шея. Парализован на всю жизнь. Ну какое тут подобие?! А собак я не люблю. Нет, конечно, вы добрые, но уж очень мне жизнь поломали твои братья. Помню, жена рожает, я в роддом лечу и собаку сбиваю... Ну торопился я, а жена просила при родах поприсутствовать. Не знаю, зачем ей это сдалось. Чего там смотреть.

Но попросила. А я собаку сбил. Шавку какую-то, сама под колеса прыгнула, бездомная. Визг еще такой... Знаешь, я до сих пор помню этот визг. Ребенок не так кричит, когда из... ну, короче, когда рождается. Я, правда, вживую не слышал. Но по телику часто показывают. Интересно, когда в кино, ну, роды показывают, там же дубли, я слышал. Вот как там с этим решают? Не говорят же «все по местам, ребенка давайте назад, дубль такой-то, тужимся...» Значит, могут всё с первого дубля... А чего тогда выпендриваются? У меня приятель без работы остался. Пошел в кино хрень какую-то таскать, говорит, один раз, как сигарету прикуривают, целый день снимали. А он только курить бросил, прикинь. Только бросил – и такое тебе, а ведь в курении главное – радость прикурить. Тебе не понять. Ну не знаю, как для тебя косточку первый раз после голодухи лизнуть. Хотя нет, прикурить круче. Так вот, Андрюха через шесть часов не сдержался да как начал орать: «Вы тут что, все охренели совсем, в стране жрать нечего, а вы снять не можете за пять минут, как человек прикуривает! У вас артист вообще курил хоть когда-нибудь? Он же не в рот берет, что у него лицо такое сложное?! Дайте покажу!» И показал. Его с работы и выгнали. Правда, и актера поменяли. Не понимаешь… Так вот, я шавку эту сбил, ну, машину тормознул, вышел, она лежит, скулит, ноги не шевелятся… Еще бы, такой удар был. Что мне было делать? Жена в роддоме, а эта тут помирает. Я ее на травку положил, сел за руль. И не могу ее бросить. Ну как бросишь? Решил: сам кончу, чтоб не мучилась. В детстве у бабки каждое лето щенков с котятами топили – и ничего. Бабка за это картошку жарила. Не утопишь – не пожрешь. Думал, легко задушу. А она, сука, прямо в глаза смотрит и скулит. Больно, наверное. Мне уже из роддома звонят, ну что мне делать? Я глаза закрыл, начал душить, а она обоссалась. Люди тоже так, говорят, если вешаются. Ну, кароч, не смог я. Звоню в роддом, спрашиваю, а можно я собаку сбитую привезу? Меня, понятно, обматерили. Говорят, у нас роддом, а не ветеринарная клиника. А то я не знаю. У нас люди странные. Иногда лежит человек на улице, помирает, никто не поможет, а иногда мужа, алкоголика, скотину, баба всю жизнь тянет.

Не поймешь нас. Так и тут – ну вот что мне делать? Убить не смог, бросить тоже, в роддом не взяли, поехал в ветеринарную. Приехали, врач спросил: «Ваша собака?» Я говорю: «Нет, бездомная, просто подобрал». Он и ушел. Я, если честно, даже не понял, думал, ну еще пять минут подожду и поеду. И сижу. А должен в другом коридоре сидеть. Жене попросил передать всё как есть, мол, рожайте без меня, я собаку спасаю. Ничего не ответили. Да я ее понимаю, надо было нормально машину водить. Я, конечно, выпил, что уж там, на радостях, ну немного так. Ну как – немного. Ну выпил. До роддома два километра, думал, доеду. Доехал, ага. Я врачу стучу, говорю, мне ехать надо, что там? Можно я, дескать, поеду, а он говорит – нет, тело забрать надо. Он ее просто усыпил. Даже спасать не стал. Удивился только: «Сказали же, что не ваша собака, я и понял, что никто ее выхаживать не будет». Ну кто же знал-то?! Конечно, я бы ее выходил! Что же сразу усыплять-то?! А он такой: «Ну, минимальный вред». Я даже запомнил. Минимальный вред. Я его хотел было об стену головой, чтобы тоже минимальный вред. Сдержался. Вышел, лечу в роддом, жена звонит, говорит: «Ну что, мудило. Ни при родах не был, ни при зачатии». Я так обалдел, что в столб и въехал, лежу, ногами пошевелить не могу. Думаю, эх, того бы доктора с минимальным вредом сейчас. А рядом люди идут, мимо все.

Один, правда, стал помогать, но машина загорелась, он убежал. Я его понимаю – чего рисковать, я бы тоже побежал. Я так один раз убежал, тоже в деревне: вижу, рыбак под лед провалился, кричать начал, я побежал, в другую сторону. Ну, там полынья, оба бы потонули. Хотя хрен знает, рыбак все равно приезжий, не из наших. Пусть его свои спасают. И вот, знаешь, я как подумал, что сгорю живьем, и не в танке героем, а в жигулях мудаком, так и умер. Повезло. Пощадили меня. Живьем гореть очень больно.

Интересно, она от обиды или правда не мой ребенок. Как бы узнать? Я не то чтобы зло на нее держу, нет... Но мне спокойнее будет. Может, они мне там соврут, я только рад буду. Ну чего ты так смотришь?.. У меня колбасы нет. Хорошие у тебя глаза, добрые, как будто все понимаешь. Жалко, конечно, что ту псину просто усыпили. Хотя, может, и к лучшему.

ПРЫЖОК

Ох ты ж... сюда целым прибыл. А там, наверное, не очень я целый.

Эх, Рыбкин. Кретин ты, конечно.

Нет, я не жалею, я даже не задумался. Как увидел глаза этого Рыбкина, так... Он пацан совсем еще. Неуклюжий, бестолковый, правда, честный.

Была у нас заварушка, он сам огреб, но никого не сдал. А вот руки из жопы, ничего в них удержать не может. Он еще такой, знаешь, весь в веснушках, мать говорит, это в деда. К нам мать приезжала, она как чувствовала, говорит: «Сергей Иванович, я вам Кирюшу как отцу доверяю, он у меня один. Была у него сестра, да...» И заплакала. А я уж спрашивать не стал. Чего сердце бередить, у самого двое девчонок. Я, когда они палец режут, с ума схожу, а тут... Хорошая мамка у Рыбкина. Заботливая, но в меру. Не сидит на нем, как курица на яйце, хотя на Рыбкине надо бы. Я вообще не знаю, как он жить собрался. Мать вот беречь его просит, может, думает, он в старости заботиться о ней будет. Рыбкин будет, это точно! Только я бы многое отдал, чтобы в старости к нему в руки не попасть. Старость сразу закончится.

Знаешь, есть такие люди – добрые, хорошие, но такие непутевые, что одно зло от них. Ну хорошо, не зло, зло это намеренно, просто один вред. Вроде бы помочь всем хотел, а все испортил. И непонятно, прощать таким или как. Ведь если с добрым сердцем, то, наверное, прощать нужно. Я не знаю. Рыбкин, кстати, если каким-то чудом армию пройдет, должен о моих дочках хотя бы как-то позаботиться. Они всем отделением должны, конечно, но Рыбкин больше всех. А от его заботы, боюсь, одной беды жди. Надеюсь, Маринка быстро снова замуж выйдет. Баба видная, еще и с работой. Потом, меня, наверное, как-то наградят, хотя от их наград толку никакого, посмертно особенно. У вас тут мои награды зачтутся? Не в курсе? Вот и я о том. У вас тут свои награды, я думаю. А эти лучше бы квартиру дали. А то живем в двушке маленькой вчетвером. Точнее, жили... Нет, все равно лучше, чем в общаге. Если по-честному, то в армии сейчас всё как надо. Я еще помню, как в двухтысячные было. Нищета... А сколько людей по глупости положили! Скажешь, я тоже по глупости? Может, и так. Но уж точно не от безденежья или предательства какого. Просто таких, как Рыбкин, нельзя в армию брать. Опасно для всей страны. Он и не хотел. Говорит, возьмите санитаром.

А куда его, лба здоровенного, в санитары?! Руки – как ласты. Вот он, дурень, гранату в ластах и не удержал. И что мне было делать?! Стоят двенадцать оболтусов и Рыба над гранатой. Глаза стеклянные. Ну как можно было ее выронить?! Я войну прошел, выжил, а тут... Мне, чтобы прыгнуть, Рыбкина аж оттолкнуть пришлось. А когда падал, время остановилось. Но жизнь не пролетела. Вспомнил Серегу почему-то. Тезка мой. У нас его Засранец Фартовый в роте прозвали. Они на машине ехали, а он фасоли наелся, попросил тормознуть, выбежал в лес, вернулся – машина в клочья... Он чуть с ума не сошел. Всех своих пацанов потерять... А потом за неделю до дембеля в засаду попал, два часа отстреливался, патроны кончились, он себя подорвал. Так вот, я на гранате лежу, вспомнил Серегу, думаю, жди, братан, еще одного Серегу Фартового... А маму Рыбкина я не обманул, слово сдержал. Знаешь, о чем только жалею? С женой не помирился. Разосрались в хлам. Из-за ерунды. Спали на разных концах кровати. Утром торопился, не помирился, не поцеловал. Она меня с войны ждала, а я... Она же теперь тоже жалеет. Еще как. Надо было помириться утром. Надо.

Ладно, куда тут самоубийцам?

И ТУТ ПРИШЕЛ СИДДХАРТХА

Тяжело быть писателем в России. Необходимо с серьезным лицом рассуждать о судьбах человечества. Начнешь литературно валять дурака, и тебя распнут за девальвацию звания почетного. Но, как я уже сказал, с позиции «писатель» я взял самоотвод, а значит, есть в этой книге место для совершеннейшей дури, основанной тем не менее на реальном факте, почерпнутом мною из экскурсии по Бангкоку. Просьба визуализировать следующий текст и погрузиться в прекрасный мир социально защищенных наших предков (если верить Дарвину).

Это важный текст, в конце которого вы поймете, почему я предвижу апокалипсис и инвестирую в гречку и керосин. Беда пришла, откуда не ждали, хотя кино про это уже было.

Итак, слушаю я тайского гида и вот что узнаю. По словам местного гражданина, у обезьян, работающих в кокосовых колхозах на благо человечества, как выяснилось, повышенная социальная защищенность. Хозяин имеет право эксплуатировать особей в возрасте от 4 до 12 лет. После 12 лет государство платит каждому нашему предку ПЕНСИЮ (30 000 рублей на наши деньги, между прочим, платит, я так понимаю, доверителю, хотя не уточнил), и, самое главное – нельзя, чтобы одна обезьяна собирала в день более 1000 кокосов. Я тут на богомерзкой йоге вот о чем подумал.

Представим себе, что гид сказал правду. Меня как человека практичного стала интересовать технология. Начнем с нормы в 1000 кокосов. Возьмем кокосовый колхоз дедушки Ху. У него тридцать обезьян. Допустим, молитвой и электрошоком он не дает им всем разбежаться. Допустим, при помощи доброго слова и легкого пинка палкой по жопе он научил их всех собирать кокосы и приносить в искомый сарай. В это я верю.

Но что происходит с правилом 1000 кокосов в день? Кто, сука, считает? Дедушка Ху? На хрена ему это нужно, он капиталист-эксплуататор. Сама обезьяна Шима, которая прочла об этом, подписывая контракт? Отложим эту версию. Остается дедушка Су – инспектор Комиссии по защите прав обезьян. Он ходит по колхозу и считает, сколько кокосов собрала каждая мартышка. Я даже верю, что дедушка Су – Альберт Эйнштейн и в своих подсчетах следит сразу за всеми тридцатью тружениками. Рабочая версия.

И вот представим… Дедушка Су заметил, что мартышка Шима собрала 1000 кокосов и, сволочь, собирается собрать 1001-й. Что он делает? Правильно. Сообщает об этом дедушке Ху, тот бьет Шиму по жопе палкой. Шима, мягко сказать, в недоумении. Целый год ее били палкой по жопе, чтобы она собирала кокосы. Что вдруг опять? Она, разумеется, начинает собирать быстрее, все злятся, она получает по жопе еще пятьдесят раз и наконец догоняет, что кокосы более собирать не нужно. И так неделю подряд. Ее обезьяний мозг пытается выстроить логическую цепочку. «Интересно же, почему это в какой-то момент дедушка Ху лупит меня палкой, чтобы я прекратила собирать кокосы». Может, у него психоз, может, после заката кокосы киснут. Шима изобретает солнечные часы (мало ли, до пяти рабочий день), термометры (мало ли, после 25 Цельсия – отбой) и всякие другие закономерности, так как психически здоровая обезьяна не догадается, что все дело в том, что ее защищает профсоюз. Но хрен с ним! Шима – тоже Эйнштейн, она поняла, в чем дело, через пару месяцев научилась считать до 1000, сама дает палкой по жопе всем, кто в школе не ходил на алгебру, а после 1000-го кокоса идет курить бамбук в прямом смысле этого слова или читать Маркса. В это я верю, но совершенно неясно, что происходит с возрастными ограничениями.

Как мы помним, работать обезьяна может с 4 лет. У меня живое, после детокса, воображение. Итак, утро. Все обезьяны построились, как алкаши в «Операции Ы».

– Ну что, граждане алкоголики, хулиганы, тунеядцы, кто хочет сегодня поработать? – говорит дедушка Ху.

– Я, – пищит маленькая Сима (дочка Шимы) и немедленно получает палкой по жопе. Дедушка Ху помнит дни рождения всех обезьян и знает, что Симе 4 года только через два месяца, а значит, ей пока работать антигуманно, но объяснить это можно только… вы угадали – палкой по жопе. Шиме обидно. Она целыми днями собирает кокосы, а дочка курит бамбук, но Шима знает, дедушка Ху вконец съехал, и лучше вопросов лишних не задавать, так как не очень понятно, что у него в голове. Через два месяца на построении Симе вручают торт со свечками, все поют Happy Birthday, инспектор Су проверяет Симин ID и торжественно вручает трудовую книжку. Сима ни хрена не понимает, собирается книжку тоже скурить, но в этот момент… да-да получает палкой по жопе. Она привыкла, что это означает «Не собирай кокосы», а тут раз – смена парадигмы, теперь это означает «собирай кокосы». На осознание уходит пара месяцев, а жопа не бетонная. И даже в это я верю! Да, дедушки Су и Ху помнят, кто когда родился. Да, обезьяна мгновенно допирает, что детство кончилось, велкам ту зе клаб. Да, Сима – Лобачевский и тут же учится считать до 1000... Все так и происходит, но черт возьми, а с наступлением пенсионного возраста что?!

Я еще глотнул сока из лопухов и опять представил. Осень, дедушка Ху продал кокосы, купил балалайку и пьет целыми днями, пока Шима, Сима и остальные работники собирают кокосы, а дети курят бамбук. И тут Сиддхартха тыкает его в глаз, мол, дедушка Ху, а помнишь ли ты, какой сегодня день?

– День моего перерождения в жабу?

– Нет, старый дурак, сегодня день рождения Шимы.

– Ура! Я куплю ей банан!

– Себе купи банан, о позор нирваны! Шиме сегодня 12 лет.

– Что же ты раньше молчал! Я же без ее пенсии останусь!

Дедушка Ху мчит в колхоз, берет палку, ну... в общем вы поняли. Шима пересчитывает кокосы и понимает, что старый совсем обкурился и ей до 1000 и 999 кокосов, продолжает собирать. Дедушка Ху в ярости и палку не опускает! Жопа Шиме подсказывает, что надо идти курить бамбук, а завтра дедушка вернется в разум. Ей, конечно, внутренний голос подсказывает: Шима забыла про контракт, где бананом по песку было написано

«12 лет – и вали с пляжа». Но Шима голос не слушает. Так продолжается месяц.

Но знаете, я даже верю, что Шима помнит о дембеле и ровно в день рождения вешает перчатки на гвоздь или пишет донос на дедушку Ху, если тот пытается забыть про пенсию. Более того, я верю, что потом Шима раз в месяц подписывает в ведомости за себя, дедушка Ху получает бабло, тратит на нее и балалайки, и все счастливы, и Шима не сбегает в лес, так как любит дедушку Ху, и вся эта безумная машина по производству кокосов работает... Но вот что меня реально беспокоит – вся Азия заполнена пенсионерами-мартышками, которые умеют считать до 1000, знают свой день рождения, умеют стучать в Комиссию по защите обезьян, знают величие власти палки по жопе и все буквально изнывают от безделья. К чему это приведет? Точно! К восстанию обезьян! Пока мы тут выбираем Путина или Ксению Собчак, боимся искусственного интеллекта и прочей робототехники, где-то в глубине кокосовых колхозов зреет бунт обезьян-пенсионеров. Как вы понимаете, они нам не простят ничего. Готовьтесь. Закупайте мачете и соль. Нам всем конец.

Всё вышесказанное, кроме фразы экскурсовода, – бред доведенного детоксом до исступления борца за свободу людей. Но истина где-то рядом. (С)

СВЯТОЙ ВАЛЕРИЙ

Миша Карасев, по кличке Карась жил небогато и увлекался спиртосодержащими напитками. Другими словами, он медленно спивался и быстро вываливался из очень средненького класса в бедность. Занимался этими двумя популярными процессами Карась в засранной, но своей квартире. Разного рода черные риелторы пытались его выселить, но им не повезло. Карась уже почти подписал какие-то документы, по которым при хорошем раскладе он очутился бы в Тверской области, а при плохом – в морге, но встретил на улице какого-то старого приятеля, разболтался, поведал о своих новых заботливых друзьях, благодаря которым наконец исполнится его мечта о переезде на природу. Друг работал в милиции и на природу переехали риелторы, причем сразу на несколько лет. Отжав у гораздо более, как им казалось, защищенных граждан куда более ценные активы, они не могли поверить, что сели всем коллективом из-за какого-то алкаша и его собачьей конуры. Но в этом суть

России – ты воруешь регионами, убиваешь десятками, а потом наступаешь в троллейбусе бабушке на ногу, не извиняешься и получаешь пожизненное. Не только потому, что у бабушки внук волшебник, а просто невезучий ты и пришел твой срок. Это единственная форма справедливости, эффективно работающая в нашей стране. Все другие системы дают сбой после года эксплуатации.

Собственное жилище притягивало соучастников попойки, как распродажи модниц. Весь цвет районного дна знал о хорошей квартире Карася, где не водилось нечистой силы, равно как и чистой посуды, но зато всегда был свободный, пусть и грязный пол. А что еще нужно духовному человеку для праздника и отдыха. В описываемый день Карасю нанес визит Валера Шапкин, человек множественных нереализованных талантов. Работал Шапкин сторожем на каком-то продуктовом складе, хотя стеречь этот склад если и надо было от кого, так от сторожа. Так или иначе, за закуску на банкетах Карася отвечал именно Шапкин. И в этот раз он прибыл с консервированной свининой из стратегических запасов Родины. Водка у Карася оставалась, и друзья решили отметить... двенадцатый день весны.

– Первая весенняя дюжина, Карась, нельзя не отметить такой важный день для измученных зимой тружеников.

Валера был неплохо образован и фантастически начитан, так как ничего, кроме этого, он последнее время в жизни не делал, поэтому речь его была наполнена лингвистическим мусором, иногда, правда, достаточно оригинальным и образным.

– Согласен! Только оставь на второй тост. – В голосе Карася звучали нотки раскаяния и какого-то неудобства.

Шапкин забасил.

– А что у тебя более нет чем запивать мою некошерную закуску?

– Водка кончилась, сам грущу.

– Как же мы довели себя до такого бедственного положения? Надо это срочно исправить!

– Денег тоже нет.

– Это прискорбно. Предлагаю… помолиться кому-нибудь.

– Кому? – Столь прогрессивная мысль Карасю в голову не приходила.

– Хороший вопрос. Надо какому-то неординарному святому, не загруженному массовыми запросами пользователей.

Карась хихикнул.

– Святой – это все-таки не ЖЭК, там очередь не влияет.

Шапкин ответил с упреком и значительностью.

– Если все сделано по образу и подобию, то, уверен, очереди есть и на небесах. Давай попросим о содействии... ну, к примеру, святого Валерия. Это мой покровитель.

– Кого?! Ты про такого где прочел?

– Я сейчас предположил, что он есть, а согласись, Карась, рассчитывать, что я дожил до своих лет без сильной протекции сверху, несколько наивно. Итак, святой Валерий, я и друг мой Карась просят тебя помочь 200 граммами спирта, можно в форме водки.

– Валера, а святой Валерий нам деньги вышлет или водка из крана потечет?

– Сейчас увидим. Давай подождем. Не может нас бросить мой святой в такой день.

Прошло минут двадцать. Святой Валерий, очевидно, не собирался помогать. Обычный Валерий пошел в туалет.

– Карась, тебя, похоже, тут немного заливают. В ванной с потолка капает.

– Только этого не хватало. Сосед говорил, что он чего-то там ремонтировал по сантехнике. Надо подставить что-нибудь. Сейчас приду.

Карась достал небольшую кастрюльку и пошел в ванную. Ровно посередине потолка висела капля, потом она сорвалась и плюхнулась на остатки кафельного пола. Карась разместил эмалированную посудину в нужном месте, собрался уходить, но вдруг остановился. Начал принюхиваться.

Валера это заметил.

– Карась, ты чего, как собака, носом водишь?

– Да мне уже везде водка мерещится.

– Да-да, это на нас с потолка водка полилась. Святой Валерий услышал наши молитвы, я же говорил.

– Нет, ну правда, спиртом пахнет.

В этот момент новая капля влетела в металл. Карась провел пальцем по дну кастрюли, потом понюхал палец, лизнул его и сел на пол.

– Валера, вызывай дурку, у меня крыша протекла.

– Карась, ты чего?

– Мне и правда кажется, что с потолка водка капает. Мне врач говорил, что галлюцинации будут, сказал, если что, сразу психиатрическую вызывать. Вот. Началось.

Карась чуть не плакал.

– Карась, ну ты чего... Ну показалось тебе, так с любым может случиться, у меня и без пьянки иногда такое привидится, что хоть романы пиши потом.

– Какие романы, Валера?! На меня водка с потолка льется, а ты об этом только что какого-то святого Валерия попросил! Ты понимаешь, что это моя башка такую ересь нарисовала?

– Дополненная реальность!

– Что?

– Карась, я недавно читал об этом! Не очень понял, но название красивое. Слушай, а мне вот интересно, если ты себя убедил, что вода – это водка (с потолка стало капать активнее), как думаешь, эффект от такой воды будет, как от водки, если ты ее выпьешь?

– Валера, ты думаешь, если я сейчас выпью из кастрюли, то меня вставит, как от водки?

– Конечно! Это самогипноз такой, я читал тут.

– Когда ты читать успеваешь?!

– Карась, я человек занятой, ты знаешь, но на новые знания всегда время нахожу. Нельзя жить впотьмах. Так вот, я читал, что один моряк думал, что его заперли в холодильнике, и умер от переохлаждения, а холодильник не работал, он сам себя убедил, что замерзает. Так и ты, ты убедил себя, что с потолка льется водка, и теперь можешь пить воду. Ты новый мессия, Карась, ты обратил воду в алкоголь.

– Иисус сделал это для всех. А я только для себя.

– Согласен. А кстати, может быть, твой гипноз и на меня подействует!

Валера обмакнул палец в скопившуюся на дне воду, медленно поднес ко рту и подпрыгнул как ужаленный.

– Работает, Карась! Карась, ты Бог! Я тоже чувствую, что это водка! Я в «Науку и жизнь» напишу! Нет, Урганту! Тебя в «Вечерний Ургант» позовут! Или к Познеру. Правда, боюсь, они заставят тебя воду в коньяк превращать, они же народные напитки не пьют – буржуазия. Но ничего, водки будет достаточно!

– Валера?

– Что?

– А не может быть, что мы оба съехали?

– Не может, не бывает такого, я недавно читал...

– Валера, вызывай скорую, пусть врач приедет и скажет, что это водка, тогда я поверю и в святого Валерия, и в черта лысого.

– Карась, не надо... Не надо доктора, они тебя на опыты заберут и меня тоже. Помрем в безвестности. Только Ургант. После него пусть режут как лягушек.

– Валер... Я знаю, что с нами.

– И что же?

– Только ты не бойся.

– А чего мне теперь бояться, я в историю войду как апостол.

– Может, мы это, ну, в другую реальность попали? Как там, перпен... не-е-е, параллельную, во!..

– Карась, прости, твоя версия не выдерживает никакой критики. Ты действительно думаешь, что параллельная вселенная – это твоя квартира, но только с потолка водка льется?

Шапкин звучал убедительно. Карась искал выход.

– Слушай, Валера, а ты можешь святого Валерия попросить нам знак подать какой, что происходит. Водка с потолка после твоей молитвы потекла все-таки. И если никакого знака не будет, то звони в скорую.

– Хорошо, давай попробуем, я за эксперименты. Святой Валерий, спасибо тебе за исполнение желаний, очень благодарны, но прости неразумных детей твоих, объясни, где мы.

Раздался звонок.

– Святой Валерий оперативно работает, – прошептал Валера с восторгом. – Карась открой, но с почетом.

Карась со смесью ужаса и благоговения подошел к двери.

– Святой Валерий, это вы?

– Карась, открывай, какой Валерий, это Захар.

Карась боязливо отошел от двери и покосился на Шапкина.

– Валера, это не святой Валерий, это сосед сверху, Захар.

Шапкин моментально продлил фразу глубокомысленным:

– Или святой Валерий в облике Захара. Ты сам подумай, это же от Захара нам водка льется, реальный Захар на нас ее пролить не мог. Так?

– Так.

Шапкин стал ходить по прихожей, как Холмс.

– Значит, мы можем сделать простой логический вывод, что святой Валерий вселился в Захара. Это, кстати, очень разумно, ведь тела у святого нет, он должен был кого-то использовать. Так?

Логика Шапкина действовала на Карася магически.

– Так.

– Поэтому открывай и просто скажи: «Захар, спасибо за водку с потолка». Если это реальный Захар, он ответит: «Какую водку?», а если это святой Валерий, то он скажет: «Прими от меня, Карась, это чудо в дар». Открывай давай.

Карась открыл дверь и выпалил.

– Спасибо тебе за водку, Захар!

– Да не за что. Считай подарок. Прости, что устроил тебе тут этот водочный потоп, я...

Карась рухнул на колени.

– Святой Валерий! – и бросился целовать Захару руку. Валерий руку просто пожал и с еле видимым поклоном приветствовал гостя.

– Святой Валерий, рад приветствовать вас в нашей обители!

– Вы свихнулись, алкаши?! Какой святой Валерий?!

Карась вдруг запел:

– Святой Валерий, ниспославший нам манну небесную в виде водки и явившийся по первому зову.

Такого от Карася не ожидал даже Валерий. Тем более Захар.

– Карась, Карась! Это я – Захар!!! Это я тебя водкой заливаю! Она у меня из водогрея вылилась!

Шапкин поднял указательный палец.

– Карась, ты понимаешь, какой план божественный? Святой Валерий не только вселился в Захара, но и водку ему в водогрей залил.

Захар уставился на Валеру.

– Карась, это что за проповедник? Что у вас здесь за секта? Карась, встань с коленей, идиот! Я сейчас все объясню.

Валера принял форму памятника Ильичу с указывающей рукой.

– Карась, не вставай, узри святого нашего, покровителя всех страдающих зависимостью тяжкой.

Карась начал целовать Захару тапки.

Захар понял, что от Карася сейчас толку не будет, и обратился к Шапкину, параллельно отлепляя от тапок Карася.

– Простите, вас как зовут?

– Я Валерий, тезка ваш.

– Я не Валерий, я Захар! Сосед Карася! Я никакой не святой! У меня в водогрее водка была, 40 литров, он упал, треснул – и водка вылилась! Я пришел узнать, сильно ли залило, вижу сильно, особенно мозги Карася, хотя ваши тоже.

На лице Валеры застыла блаженная улыбка. Захар крикнул:

– Прекратите улыбаться. Просто на секунду представьте, что я говорю правду!

Валерий на секунду представил.

– Хорошо, уважаемый Захар, давайте допустим, что вы говорите правду. Я правильно понимаю, что в вашем водогрее в ванной вместо воды находилась водка, он упал, водка вылилась и протекла к нам. Это та правда, в которую я должен поверить?

– Да! Это чистая правда!

– Тысяча извинений, не хочу подвергать ваши слова сомнению, но описанная вами ситуация не то чтобы ординарная.

Карась все это время продолжал вращать глазами, не улавливая суть дискуссии.

Валера продолжил:

– Так вот я кое-что читал об инженерных коммуникациях, в водогрей вода поступает по трубам, скажите, тогда как же в ваш водогрей попала водка? Или в нашем районе теперь из крана будет течь водка во всех квартирах, это такая предвыборная кампания?

– Нет, конечно! Какая водка из труб?! В водогрей водку я залил сам.

– Не хочу показаться бестактным, но вы водкой моетесь? Теплой?

– Валерий, вы нормальный?

– Это предмет другой дискуссии, но в данную секунду я просто реагирую на ваши слова. Если водка в водогрее, то разумно предположить, что вы ею моетесь, иначе зачем туда ее заливать.

Захар перешел на крик, сопровождаемый рублеными движениями рук.

– Водку в водогрей я залил для тех же самых целей, что ее заливают в любую другую емкость, – чтобы ее пить!

Валера внимательно оглядел Захара с ног до головы.

– Пить водку из водогрея... Вы знаете, я очень много читаю и еще больше пью, но я... я никогда не слышал о том, чтобы водку употребляли вашим способом.

– Так и никто никогда не слышал! Это мое изобретение! Рассказываю. Карась, ты тоже послушай. Может, тебя отпустит. Итак, мне жена не дает пить.

– Что более чем объяснимо, – с интонацией Кролика из «Винни-Пуха» подчеркнул Шапкин.

– Можете не перебивать?!

– Извините.

– Так вот, пить она мне не дает и не дает хранить дома спиртные напитки, а выпить хочется, особенно перед сном.

– Как и всем нам. – Шапкин плохо себя чувствовал, если долго молчал.

– Да, как и всем нам! И вот что я придумал. Я сказал жене, что в преддверии отключения горячей воды неплохо бы повесить в ванной второй водогрей, так сказать, на случай поломки первого. Она радостно согласилась, я достал водогрей, проделал в нем незаметное отверстие сверху и краник снизу, залил туда водку и повесил. Ночью стал ходить в туалет и понемногу отпивать. Жена запах чувствовала, но ничего не могла понять! В конце концов я ее убедил, что у нее галлюцинации на почве паранойи, она согласилась и зажила спокойно. И все было хорошо целую неделю! Но сегодня я решил залить в водогрей пару литров и… Оказалось, я плохо закрепил – он рухнул, треснул как раз в районе крана. Пол у нас не кафельный, вот все и пролилось к вам. Остальное я тряпками отжал в таз и все вылил в канализацию, запах дома стоит такой, что можно дышать и закусывать. Вот решил проверить, как у вас тут. Проверил… Карась, ты все понял?

– Нет, святой Валерий!

– О господи…

Валерий допустил версию Захара.

– Захар, я близок к тому, чтобы вам поверить. Не могу не отметить, что вы предельно изобретательны. Простите, а как вы собираетесь жене объяснить всю эту катастрофу?

– Водогрей я выкину, а вот с запахом что делать – не знаю. Мне кажется, она догадается…

У меня часа три до ее прихода. Пойду назад, раз у вас тут все нормально. Ну не у всех, конечно. – Он покосился на Карася.

– Захар, а я могу вам помочь. Скажите жене, что в квартире нечистая сила и вам теперь мерещится запах водки, и что надо квартиру освятить – и все пройдет. А не поверит – приводите, мы ей Карася покажем, уверен, она сразу согласится на изгнание кого угодно.

– Хорошая мысль. Ладно, мужики, вы тут, это, не бухайте особо мою водку, мало ли через что она в перекрытиях прошла. Карась, в себя придешь, забегай. Святому Валерию привет.

Захар закрыл дверь.

– Карась, ты вот во что больше веришь – в святого Валерия или в эту ахинею с водогреем?

Карась долго молчал, а потом очень серьезно сказал:

– Валера, я завтра подошьюсь. Не дай мне Бог до состояния Захара дойти, а он ведь инженер, образованный человек.

– Только образование дает человеку право спиваться. У тебя, Карась, его нет, поэтому ты и правда заканчивай. Да поможет тебе святой Валерий!

На следующий день квартиру Захара пришли освящать. Батюшка сначала ошибся этажом и позвонил Карасю. Тот открыл.

– Вам квартиру освящать?

– Спасибо, нас уже вчера освятили.

Потом вдруг выпалил:

– Простите, батюшка, а есть такой святой Валерий?

– Есть, римский воин, мученик, а что?

– Я ему свечку поставлю пойду завтра.

– Простите, а чем он вам помог?

– Я благодаря ему пить бросил, за день исцелил.

– Ну что ж, значит, нашли вы слова нужные, Бог вам в помощь.

В квартире Захара священнослужителя ждало еще одно открытие. Запах водки висел в ней настолько явственно, а жена настолько же истово верила в нечистую силу, что батюшка, человек здравый и разумный, вывел Захара на разговор.

– Захар Иванович, это что за цирк с нечистой силой? Может быть, сознаемся во всем хотя бы мне, покаемся?

Захар все рассказал и поклялся завязать.

– Батюшка, прости меня грешного! К кому бы мне за помощью обратиться? Сам не справлюсь...

– Да я тут про святого Валерия слышал... Говорят, помогает при алкогольной зависимости.

– Про кого?!

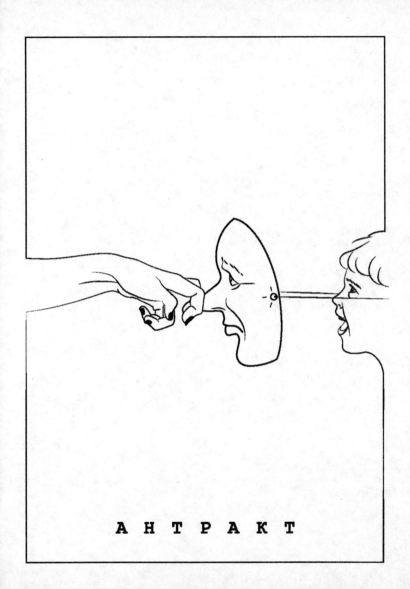

АНТРАКТ

МЕТОД ЦЫПКИНА

Хотите дестабилизировать близкого человека, вывести его из равновесия, заставить совершить ошибку? Дарю лайфхак. Звонишь и серьезным голосом с иридием в тональности отрезаешь:

– Есть время? Давно хотел с тобой серьезно поговорить.

Вешаешь трубку. Выключаешь телефон. Идешь обедать. Минут через сорок включаешь телефон, звонишь, говоришь, мол, прости сел телефон, и далее втираешь все, что хочешь, на том конце телефона все равно уже турнепс, а не человек.

РОМАШКИ

Понедельник. 10 утра. Цветочный. Ну надо мне. По делу важному. Цветочница – тетушка с опытным лицом и глазами следователя.

– Ну пойдемте, выберем, я так понимаю, судя по тому, что цветы покупаются утром в понедельник, в выходные кто-то провинился?

Я в выходные работал папой римским, вины не наблюдалось, но мне стало любопытно.

– Допустим. А как это влияет на выбор цветов?

– Вина лучше всего заглаживается ромашками.

– Почему?

– От ромашек есть ощущение, что вы собрали их сами.

– Зимой? В Москве? Разумно.

На меня посмотрели с разочарованием и безнадежностью:

– Ничего вы в женщинах не понимаете, нам нужна мечта. Ну что, розы, я так понимаю.

ЗВОНОК

– Александр, хотели бы вас пригласить в такую-то программу.

Глянул «такую-то программу». Сказать, что я в недоумении – это не сказать ничего. Возрадовался, что годами не включаю телевизор. Пожалел народ. Многое понял про текущий момент. Перезваниваю.

– Посмотрел вашу программу, прошу прощения, при всем уважении, не хотел бы вас обидеть, сугубо между нами, но вам не кажется, что это в некоторой степени абсолютное говно.

– Мне не то что кажется, я в этом абсолютно уверена! Так что? Придете?

Так даже я не умею.

ИМЕННОЕ

Питер. Ресторанчик. Управляющая. Искрит. Щебечет.

– Алексей, мы так рады, что вы к нам зашли, так люблю ваши рассказы, у меня к вам, Алексей, просьба, а можете мне подписать... ну вот хотя бы блокнот.

– Я Александр.

Без паузы. Разочарованно. С претензией.

– Странно... Вам так идет Алексей.

Мне стало неудобно за своих бестолковых восемнадцатилетних на тот момент родителей.

– Ну извините. Не я выбирал.

– Да ничего страшного. Подпишете?

РУССКИЙ ЯЗЫК

Однажды я написал пост про занятный памятник в Бангкоке, который представляет из себя – вы не поверите – фаллос! Назвал зарисовку я «Волшебный...» и далее слово из трех букв. Неожиданно раздается звонок от бабушки. Голос строгий.

– Хотела насчет одного из твоих постов высказаться.

Я, конечно, сразу понимаю, о чем идет речь. Но решил уточнить.

– Бабуль, ты про мой последний пост?

– Да, я про него. Что ж ты семью позоришь?

– Ну я использую мат как эмоциональное усиление. Это же очевидный эпатаж, некий противовес большому романтическому рассказу, недавно опубликованному, в чем-то даже вызов общественному ханжеству, ну мы же реально так говорим!

– Это всё прекрасно, ничего не имею против твоего мата, но можно «-тся» писать грамотно?! Про запятые я уже давно молчу, точнее, мы все молчим...

ЧИСТОТА

На выходных товарищи позвали в Сандуны. Где я, и где Сандуны. Все эти плескания в пару никогда не завораживали, но зато вспомнил убойную историю середины 2000-х. Итак, мой друг не рассчитал в ухаживаниях и начал жить с девушкой. С женщинами всегда так: вход рубль, выход – два с полтиной. Год пролетел как комар. Все было хорошо. И тут гражданина друзья позвали в баню. В субботу. Утром. Ну то есть в три дня. Он согласился, всё как обычно: вобла, пиво, Фейербах. Понравилось. Решили повторить. Через три раза Фейербах иссяк и поступило предложение заменить его проститутками. Какая-то глубинная и необъяснимая тяга соотечественников совместить телесное очищение и духовное падение. Я один раз пытался соединить секс и парилку. Русская литература чуть не потеряла шанс быть мною опозоренной. Но вернемся в историю. Дружба и философия ожидаемо закончились банальным трахом. Понятно, что участники считали себя патрициями, а девиц гетерами, но общего между ними и античностью было не более чем между пастой в Неаполе и макаронами в советской столовой. Тем не менее всем нравилось. Регулярную баню наш маэстро не пропускал, пока не приключился казус. Как-то субботним утром, прямо перед походом в терму, сожительница неожиданно разбудила его страстным оральным сексом. Пустяк как будто, но если тебе 53, то повторный подъем может уже не состояться так легко, особенно в бане, в жару, а виагру нельзя, помереть недолго. Скажем так, случился некоторый конфуз. В следующую субботу сценарий повторился. Да-да, вы всё поняли. Через три субботы мужчина резко расхотел встречаться с друзьями в бане, нашлась аллергия на пар и пихту. А еще через пару недель у девушки нашлась аллергия на оральный секс. Возобновлять походы в баню показалось нарочитым даже моему отвязному другу. Он лишь однажды набрался смелости и спросил барышню:

– Слушай, а почему ты перестала по субботам меня будить так чудесно, как было раньше?

Ответ был штампован, но шедеврален.

– Ты правда хочешь об этом поговорить?

ЧАЙНОЕ

Ты в Париже, ты важный, у тебя вчера в Российском центре науки и культуры аншлаг был и шампанское. Днем ты лениво дал заумное интервью чудесной Кате Солоцинской, главе центра. Вечером у тебя устрицы. Ты сидишь в кафе, нимб светится. Заказываешь черный чай. Приносят чашку, пакетик и чайник с кипятком. Ну окей, божество даже само нальет воду. Ждешь, когда заварится. Не хочет оно завариваться. Идиоты, опять божеству зеленый принесли. Ты зовешь официанта и вальяжно втаптываешь его в пыль веков. Он долго смотрит, как Дарвин на мартышку, и вальяжно предлагает тебе сначала вытащить чайный пакетик из полиэтиленовой оболочки, а потом уже заваривать.

НОВЫЕ ТЕХНОЛОГИИ

Середина дня, полный ахтунг, в трубке молодой режиссер Саша. Он очень быстро говорит, ты пытаешься вставить свою фразу:

– Сань, ну подожди.

Бесполезно, он тараторит. Повторная попытка.

– Дай мне сказать!!!

Бессмысленно.

– Ты можешь заткнуться?!

Сработало! Молчит! Начинаешь свою долгую речь. Он ждет, пока я закончу. Уважает. Понятно, молодой еще меня перебивать. Я иссяк. Он молчит.

– Сань?

Тишина.

– Але!

Тишина. Смотришь в телефон. Наверное, сеть накрылась.

Ага, сеть! Мозги твои накрылись, старый дурак.

Ты просто слушал его аудиосообщение в вотсапе. Хренов новый мир и его хреновы методы коммуникации!

СТАРЫЕ ТЕХНОЛОГИИ

Встретились в общей компании с давней подругой, которая в свое время была лидером борьбы с нашим клубно-тусовочным движением. Ее лекции о вреде электронной музыки и данного образа жизни можно было читать в школе. Пугала всех так, что страшно было даже скачивать альбомы. Огребали все: и язвенники, и трезвенники. И тут она взахлеб рассказывает о том, как ей понравилось в Гоа. Причем поехали они туда с мужем.

– Ну вы просто на море?

– Нет, ты что! Со всем набором! Я-то, понятно, на соках, а вот Д. (имя мужа скрыто) по полной. Скоро опять поедем.

Я тру глаза и уши. Она в Гоа. По полной. Я, например, даже ехать туда не хочу. Хоть и не был ни разу. Не надо мне этого. Все эти опыты с сознанием я не одобряю, но я хотя бы никогда не критиковал! А подруга, как я отметил, была просто нашим местным Онищенко. Рупором чистого разума. Решил аккуратно уточнить:

– Слуш, ты же вроде всегда против выступала...

– Дура была, не понимала, какая может быть семье польза.

Я окончательно подвисаю. Думаю, может, у меня галлюцинации на фоне ЗОЖ.

– Польза?! Семье?!!

– Ну Д. три года не хотел покупать квартиру. Мы чуть не развелись. Я ему, ну хватит снимать, а он все гнал, что так удобнее и мобильнее.

Ощущаю себя в «Ералаше».

– И при чем тут Гоа?!

– При чем, при чем! Д. там какой-то адский глюк схватил, что я – это бабочка, но мне нужно вернуться в кокон, а кокона нет. Он как в себя пришел, сразу сказал, что это знак. Вернулись – за неделю купил квартиру. Думаю теперь, что нам еще надо, и начну заранее мозги промывать.

4 утра. Вечеринка Юрия Милославского. Диджей великолепен. Я месяца четыре не слушал нормальной музыки. Капюшон на глаза, не надо меня, такого великого, узнавать.

Сквозь капюшон чувствую, что на меня смотрит симпатичная девушка. Вот они – демоны-соблазнители, началось, это момент истины, но я кремень, я сделал свой осознанный выбор, и ничто меня не собьет с пути!

А она смотрит. Более того, улыбается и... о нет, нет! Она идет в мою сторону! Готовлю речь: мол, «ты не для меня... я люблю другую, прочь с глаз, сгиньте демоны, свят-свят-свят».

Свят не помог, она приближается. Повторил заученное. Протрезвел со страху.

– Александр!

– Да это я, и не такой...

– Ой, Александр, хотела сказать, ваша жена Оксана – это дикий секс.

ЗАРАБОТАЛСЯ

Прилетаю в Москву, в самолете уснул, поэтому долго прихожу в себя; сели, рулим по полосе, собираю разбросанный комп, телефон и так далее, проверяю в кармане паспорт – русский есть, заграна нет. Класс, сейчас я в аэропорту жить буду. Перерываю всё. Залезаю под кресло, смотрю в проходе, спрашиваю стюардесс, ну нет загранпаспорта. Потерял. Очень вовремя! Пытаюсь восстановить события, где мог его оставить, и понимаю, что мне пора в отпуск. Лечу-то я из Питера, нет никакого погранконтроля, заграник у меня дома, все хорошо, зовите санитаров.

ТАМОЖЕННОЕ

Ночь. Домодедово. Теперь все-таки прохожу реальную границу. До паспортного контроля строгая таможенница строго интересуется.

– Сколько наличных денег с собой везете?

Я достаю пачечку, которая очевидно меньше разрешенных десяти К. Она хитро смотрит в глаза и уточняет:

– Это всё, что у вас есть?

Я смотрю по сторонам, делаю знак, как будто хочу сказать что-то на ухо, чуть к ней нагибаюсь и шепчу:

– Ну, если честно, дома есть еще...

Барышня тоже делает знак, мол, наклонись, и шепчет в ответ:

– Спасибо за сигнал.

ПОЛИТИЧЕСКИЙ СОВЕТ

Восьмой класс, как мне кажется. Мы подростки, нам весело, каких-то учителей мы любили, каких-то не очень, но все равно относились ко всем тепло. И тут вдруг преподавательница биологии и анатомии, кабинет которой ознакомил нас с фильмами ужасов в банках, умирает. Печально. Но в этом возрасте смерть воспринимаешь не так трагически и необратимо. Мы, конечно, расстроились, а некоторые девочки даже были близки к слезинке, но не более. Тем не менее это все равно новость, «Телеграма» тогда не было, и все ее распространяли «сарафаном». На первой перемене вышел на крыльцо. Вижу, в школу торжественно поднимается один из нашей компании – то есть бездельник, троечник и дебошир. Удивившись, что барин изволил ко второму уроку жопу притащить, я его огорошиваю новостью. Говорю с излишним задором.

– Здоров, прикинь, анатомичка умерла.

Парень меняется в лице. На нем (в смысле – на лице) – боль, трагедия и безысходность. Мне даже стало стыдно. Вот я скот бесчувственный. Сели на ступени. Я быстро «переобулся», «перенастроился», включил печаль и выдал драматическо-философскую тираду на тему конечности жизни и невозможности вернуть ушедшего, далее со всеми остановками. Мир не видел доселе такого скорбящего.

Дружбан молчал и нервно жевал губы.

– Цыпкин, прости, мне сейчас не до твоих переживаний, у меня реальная теперь проблема и волнует меня сейчас только одно: проверила она контрольную или нет. Я второй раз так не спишу, а если анатомию не сдам, могут вообще выгнать. Как не вовремя она, конечно... Родаки меня убьют.

ЛЮБИТЕЛЬ ТЕННИСА

Некоторые диалоги невозможно придумать.

Отпуск. Дубай. День. Компания. Модное место. Много шампанского. Очень много. Вместе с солнцем это растворяет мозги. Сосед по столу, классный, но нетрезвый, обращается:

– Смотри – Луи Редерер!

Думаю, с чего это он на шампанское обратил внимание, еще с таким придыханием.

– Где?

– Вон, за соседним столом.

Ну и зрение! Я ни хрена не вижу, что за бутылка.

– Ну хочешь, мы нам закажем?

– Думаешь, реально? Вот так просто он к нам придет?!

– Кто?

– Редерер.

Тут уже я недоумеваю, думаю, нормально так в нас зашло... Еще немного и начнем салат «Цезарь» вызывать к нам из Римской империи. Пока туплю, товарищ усугубляет.

– Пойду автограф возьму!

– У кого?!

– Луи Редерер – первая ракетка мира! Ты что не знаешь?!

– Федерер!!!

– А я что говорю?!

Пока спорили, Федерер ушел.

ДРУЗЬЯ ПЕРЕЖИВАЮТ

Уже лет пять страхуюсь в Ингосстрахе, по-моему еще до прихода «бро» Карена Асояна туда. Хоть бы раз кто позвонил, поинтересовался: «Как ваше бесценное здоровье, Александр Евгенич?» Нет, платили вовремя, никаких претензий, но важно же личное внимание. А его не было. И тут Карен сам звонит. Голос какой-то тревожный.

– Цыпкин, ты чего, правда в тур по России поедешь? Я видел расписание, там Норильск, Хабаровск и т. д.

– Ну да, а что?

– Нет, я не хочу лезть, твое дело, но...

– Ну говори уже!

– Давай, мы тебе жизнь застрахуем…

Вот друг поэтому и друг, что знает о невыгодности сделки, но ведет себя честно.

ОБ АВТОРСКОМ ПРАВЕ

Прилетел в Ростов-на-Дону. Доброжелательный, но цепкий таксист интересуется целью визита. Я гордо и самодовольно:

– Выступаю.

– Вы актер?

– Не совсем, я читаю свои рассказы со сцены.

– Просто читаете?

– Нет, я при этом танцую и собираю кубик Рубика. Шучу. Да, просто читаю.

– И люди покупают на это билеты?

– Бывает.

– Как интересно. Выставлю, пожалуй, счет ребенку.

– В смысле?

– Ну, я своему сыну в детстве вслух читал.

– Автору не забудьте долю.

– По-моему, через сто лет авторские права заканчиваются, а я, в основном, Пушкина, как мне кажется…

Таксисты – это все-таки особая каста. Всё знают, всё помнят.

НАРЫВАЮСЬ

В Италии я фотографировался на фоне портрета Смерти. У меня с ней состоялся диалог.

– Цыпкин, ты вообще страх потерял?!

– А ты кто, жертва детокса?

– Я?! Смерть я, если ты не заметил.

– Чья?

– И твоя тоже!

– А почему я еще живой?

– Время не пришло.

– Ну то есть не ты решаешь?

– Не умничай, а.

– То есть не ты?

– Ну не я!

– Другими словами, ты тупо менеджер по логистике.

– Что?!

– Ну так ведь, ну без обид. Чего тогда выпендриваешься? Дай фотку сделаю! Когда за мной придешь, не до селфи будет...

– Вот ты тролль! Ладно, не очкуй, я дам тебе время на селфи, обещаю!

– Договор. И ты это, поешь хоть немного, смотреть больно.

– Ладно, схожу к мороженщику сегодня... Просто так, не было по нему команды.

КОРПОРАТИВЧИК

Рим. Заходим с гидом в церквушку. В церквушке Караваджо. В Риме так всегда: куда ни сунься за пиццей – либо Караваджо, либо Леонардо, на худой конец. Изучаю полотно. Задаю вопросы.

– Это же в некоторой степени Караваджо?

– Он самый.

– Ага, угу, и, если не ошибаюсь, на картине – распятие Петра, раз товарищ вниз головой.

– Именно. Петр сказал, что недостоин быть распятым как Иисус, римляне спорить не стали.

– Дико извиняюсь, а почему участники действия в средневековых одеждах?

– Так это же Караваджо, он только с натуры хорошо рисовал. Один раз, не поверите, Деву Марию с какой-то проститутки скопировал, а заказчик ее признал. То-то был скандал. А этот заказ, считай, – корпоратив, местный бизнесмен попросил раскрасить ему ВИП-ложу в церкви. Вот он и рисовал с каких-то попавшихся под руку сапожников, они и одеты, как сапожники времени Караваджо. Рисовал бы сегодня, Петра бы вообще распяли парни в бейсболках и с айфонами.

И тут я подумал, а ведь и правда корпоратив! Для нас – шедевр, а для него это был корпоративчик по-быстрому под Новый год. Чёс! Даже этим можно войти в историю, если есть талант. Слава корпоративам!

ЛИЦО

Настоящего российского патриота/тку на дорогом европейском курорте можно отличить всегда. Какой бы ни был «макларен», каков бы ни был размер кольца, сумки, груди, яхты или каблуков, сколько бы ни было выпито Cristal'a, в любое время суток, неизменно, у думающего о судьбах Родины гражданина или гражданки остается одно – феерически недовольная физиономия. Иногда мне кажется, что это татуаж.

БЕЗАПЕЛЛЯЦИОННО

В поезде по дороге в Калининград. В моем купе не оказалось розетки. Я написал петицию проводнице. Сказал, очень нужно по работе.

– А кем работаете, если не секрет?

– Писатель.

– Ого.

Через пять минут нарисовался удлинитель, и я подключил комп к электричеству в коридоре.

– Спасибо большое!

– О чем пишете?

Несмотря на то что в данный момент пишу о похоронах, я выдал мое стандартно-эпатажное:

– Сейчас о публичных домах.

– Часто там бываете?

От неожиданности я смутился и сказал правду:

– Нет, но в юности бывал в качестве журналиста.

– Если бы мой муж сказал мне, что днем был в публичном доме в качестве журналиста, он бы вечером туда переехал в качестве жильца…

ЗОЖ-БОЖЕСТВО

Вчера «Москва 24» допросила меня о ЗОЖ. И мне открылась истина. Друзья, не мы выбираем ЗОЖ, а он выбирает нас, как хоккейные клубы молодых звезд, как боги – любимцев. Так же нас выбирают пьянство, разгул и чревоугодие. Но у них право первой ночи. И вот тех, кого не взяли себе в апостолы пороки, или тех, кого пороки выбросили из своих рядов за отсутствие усердия, вот этих несчастных и неприкаянных подбирает на обочине жизни ЗОЖ. Поэтому они его так боготворят: рабы ЗОЖ знают, что более никому, кроме своего нового бога, они не нужны. Они его чтут, но в глубине души, одинокими ночами с сельдереем, грызут локотки и задаются одним вопросом: ну почему же я не подошел Дионису, что со мной не так? ...Почему никто, кроме ЗОЖ, на меня не посмотрел из богов?! Дайте мне шанс, я покажу, на что способен!

НЕЦЕНЗУРНОЕ

Я люблю работать с молодежью, особенно интересно с жившими и учившимися за границей. Сам у них учусь, но иногда они меня особенно радуют. Прошу для одного ивента срочно выкинуть из моего текста мат и заменить на нормальные слова. Приходит СМС:

– А на что поменять странное слово «мзда»?

А чего, нормальное матерное слово.

Я сразу подумал о словах «мздюк», «мздишь» и «мздец».

Сразу предупреждаю, за хамские комменты удалю к...

ВАТЕРЛОО

Лечу домой. Я у прохода, у окна парень, думаю, лет тридцати. Вдруг симпатичная барышня, сидящая в ряду перед нами на среднем месте, встает и оборачивается. Начинает смотреть очень заинтересованным взглядом то на меня, то на моего соседа. Она молчит, но то азартно кокетничает, то копирует выражение лица Моны Лизы, изучая каждого из нас. Мы рвемся из кожи, строим глазища и всячески пытаемся удержать ее внимание. Улыбаемся, сооружая максимально загадочные и томные лица. Каждый хочет, чтобы она выбрала именно его. Каждый понимает, что второго шанса не будет. Она переводит взгляд все чаще и наконец останавливается на моем конкуренте. Меня она больше не замечает. Меня стерли. The winner takes it all. Давно я так оглушительно не проигрывал. Успокаиваю себя: она не считала мой богатый внутренний мир, а может, заметила кольцо на пальце и поняла, что ловить со мной нечего. Версия, конечно, маловероятная, но я хватаюсь за соломинку. Да точно! Кольцо заметила. Уверен. Как иначе.

P. S. Я уткнулся в сценарий, пережил поражение, почти пришел в себя, но она решила погулять по салону и, возвращаясь, встала рядом со мной.

Я обещал себе не смотреть на нее! Нет, я не буду игрушкой в ее руках! Она сделала свой выбор, хватит. Я не собираюсь торчать на запасном пути, пока она не найдет на меня время! Я не раб! Она мне не интересна! Ни одного взгляда! У меня есть гордость!

Она не отходит. Я держусь. И тут она кладет своего зайца мне на клавиатуру, и я срываюсь. Смотрю. Потом мои губы сами складываются в улыбку... Она рассмеялась и пошла дальше. Она все поняла. Я проиграл дважды за вечер. Ее мама сказала, что ей четыре года и что она с ужасом ждет, когда она повзрослеет.

ВЗГЛЯД

Иногда отношения раскрываются в одном взгляде. У моей жены Оксаны была встреча с подругой в ресторане, а потом мы вместе должны были куда-то бежать. Я освободился и пришел к ним, но, зная, что у девочек личный разговор, отсел в другой конец зала и начал думать об отечестве. Мысль не шла. Решил оживить ситуацию. Попросил официанта принести Оксане и подруге «беллини» и не говорить от кого. Понимаю, что в голове у Оксаны сейчас вопрос «от кого коктейль?» и две возможные реакции, когда она поймет, что это я. Если упрощенно, она может порадоваться, что это я, что муж, любимый человек ее решил чуть удивить, или, иными словами, она будет ждать, что это именно я. Другой вариант: ей, как и любой девочке, будет приятно внимание какого-то незнакомца. Очень важно получить очередное подтверждение своей привлекательности, и это совершенно логично, человечно и абсолютно этично. Вопрос, чего в данный момент ей хочется более – чтобы муж о тебе подумал или чтобы незнакомец обратил внимание. Обязательно в каждой паре наступит момент, когда захочется второго. Подчеркну, просто внимания, не чего-то большего. И это не преступление. Нам оно всем нужно. Доказательство, что мы еще востребованы. Поэтому я наблюдал за Оксаниной реакцией без какого-то страха или ощущения проверки. Она стала смотреть по сторонам, любопытство сверкало на весь ресторан. Наконец взгляд упал на меня, я поднял бокал, и она сразу расцвела. Не было этого секундного, бессознательного разочарования. Когда-нибудь оно будет, и я не расстроюсь, и более того, порадуюсь, если кто-то ей пришлет бокал в ресторане. Девочки должны быть счастливы. Но сейчас я ждал, что она ждет меня. Не ошибся. Успокоился и начал опять думать о судьбах планеты. Также бессмысленно.

ДРУГ ИСААК

Один джентльмен прибыл в Лондон с друзьями и девушкой, а жену по рассеянности забыл дома. Ну так иногда случается. Компания прекрасно проводит время, вдруг их зовут на какой-то прием в пригороде и они зачем-то соглашаются. По дороге водитель такси рассказывает, что именно в этом пригороде находится могила, ну, допустим, Исаака Ньютона, и прямо-таки рядом с дворцом, куда они следуют. Как трогательно! Сам друг Исаак! Приезжают они в поместье – и надо же незадача: небольшой прием оказывается какой-то международной тусовкой с кучей прессы, которая выстроилась у входа и отчаянно «щелкает» всех приезжающих непосредственно при выходе из авто. Сейчас вылезет с девушкой, фотографии попадут в газеты, жена увидит и отрубит все. Он засел в машине и решил не показываться, но таксисту это не понравилось. Тогда донжуан вспомнил о Ньютоне. Оказалось, могилка через луг. Попросил его туда довезти, другу сказал выйти к гостям вечера и сообщить, что, дескать, они дальние родственники товарища Исаака, и, как узнали, что прапрадедушка здесь, сразу решили к нему сходить порыдать. Откуда в России потомки Ньютона, уточнять не стали. Парочка проторчала у склепа пару часов, пока ивент не закончился и их не забрал друг. Сказал, что их силуэты радовали всех гостей и вызвали приступы ностальгии у собравшихся.

ЧИТАТЕЛИ

Питер, концерт в день рождения. Подписываю книги, подходит парень.

– Александр, спасибо, с днем рождения, подпишите, пожалуйста, книгу.

– Что писать?

– Юлии, от бывшего и поэтому, наконец, счастливого мужа.

– Так и писать?!

– Ага.

– А почему именно мою книгу дарите?

– А она вас терпеть не может, возмущалась, почему я вас читаю.

Опубликовано с разрешения.

Круче выступил разве что один гражданин в городе NN.

Он попросил ЧЕТЫРЕ книги подписать разным девушкам. Я спросил: большая семья? Ответил, улыбнувшись: нет, большое сердце.

ЧЕЛЯБИНСК

Суровый челябинский пикап. Вышел из поезда и сразу направился в аптеку: горло узнало, что наступила зима, начало вести себя соответственно. Захожу. Как обычно, беру всё: от бесполезной морской воды до бесполезных леденцов. Вдруг девушка-продавец спрашивает загадочно:

– А телефон не оставите?

Неожиданно. Даже проснулся. Но я Не Такой.

– А зачем?

– Как зачем? Для акции…

Детали акции я уточнять не стал. Меньше знаешь, дольше спишь.

– Да я в Челябинск на несколько часов, боюсь, в акции участия принять не успею.

Но так просто в Челябинске с темы не съезжают. Ответ отдавал принуждением и знанием жизни.

– Ну почему же, вот вы только приехали, а уже заболели, глядишь разболеетесь, останетесь, может, в акции примете участие.

Я так понимаю, по акции разыгрывается не иначе как место на кладбище. Телефон не дал. Да и горло моментально прошло.

ПОРЯДОК

Вчера в поезде на Челябинск из Екатеринбурга. Я, как вы понимаете, взял себе целиком купе, чтобы утонуть в барстве и одиночестве. Гулять так гулять. Сел. Стучится проводница. Она принесла четыре комплекта постельного белья. Я вальяжно пробрасываю.

– Я один еду.

– Да я уж поняла, но порядок есть порядок, так что берите все комплекты и застелите все полки, у меня с этим строго.

Я подвисаю. Три утра, сорок три года, много работы, нездоровый образ жизни... Она видит, что теряет пассажира.

– Да шучу я, можете спать на одной, но принести я и правда обязана все.

Давно не испытывал такого облегчения.

ВДОХНОВЕНИЕ

Меня часто спрашивают на интервью, где я черпаю вдохновение, есть ли у меня муза и так далее. Конечно есть! Разве бывает творчество без вышеуказанных материй? Одинокими ночами, когда я сижу за компьютером и мысли упорно не идут в голову, я вспоминаю о Нем. Он всегда рядом. Он никогда не даст опустить руки. Он всегда направит на путь истинный и раскроет самые далекие закутки души. Он.

Дедлайн.

Нет никакого вдохновения. Есть редактор, продюсер, режиссер, издатель, которые звонят в пять утра и вкрадчиво интересуются:

– Не спишь, подлец? Правильно. Завтра будет просрочен твой восьмой перенесенный срок сдачи.

И такой прилив творческих сил ощущаешь, что не передать словами. Остальное не работает. И Бог про это знает. У самого шесть дней было, еле успел. Ну как – успел...

ПАМЯТЬ

Одна из самых саднящих историй от поездных проводников, уже не вспомню, какой был рейс. Суть следующая. Однажды проводница обнаружила, что туалет занят уже совершенно неприлично долго, постучала, поломилась – никакой реакции. Открыла мастер-ключом. Там на унитазе, ожидаемо, спит пассажир. Без ботинок, что характерно. Ну то есть слез с полки, пошел по делу и на деле этом заснул. Рядовая ситуация. Ан нет. Разбудила, спрашивает: из какого вагона? Он с блаженной улыбкой отвечает, что из ее. Проводница своих жильцов знает, такого среди них нет. Начала следствие. У человека полная амнезия. Не помнит ничего. То есть совсем. Радостный, счастливый, ничего о себе не знающий. Документов нет. Обуви тоже. Спросили в соседних вагонах. Тоже все на месте. Вызвали начальника поезда. По закону надо пассажира снимать с поезда. Кто-то предположил, что он из другого поезда перебежал. «Ага, в носках в минус тридцать», – разумно отметил начальник поезда. Что делать, непонятно. Решили на ближайшей станции сдать в милицию. Человек погрустнел, но все равно ничего не вспомнил. Вдруг появляется запыхавшийся мужик. «Вот ты где!!! Я весь поезд обошел!» Оказалось вот что. Пассажир этот после войны. Там сильная контузия была. Если выпивает даже сто грамм – временная полная потеря памяти. Ну как-то он из-под контроля и выскочил. Все рассмеялись, а друг фронтовика вдруг странную фразу сказал. «Дайте я на него счастливого посмотрю. Он счастливый только в такие моменты». – «Почему?» – спросил начальник поезда. «Память вернется, он вспомнит, что на войне случилось».

Мне потом друзья еще несколько таких историй рассказали.

НОВОСТЬ

Встретил в два ночи Павла Табакова, он поинтересовался:

– Цыпкин, ты как?

– Я влюбился.

Пашка долго молчал, ежил нос, морщил извилины, сужал сосуды и выдал:

– А я паркет положил.

Люблю его за честность и за талант, разумеется.

ЗАВЕЩАНИЕ

Старший состоятельный товарищ, чьи взрослые дети раскиданы по разным странам, наконец их собрал и провел с ними неделю.

– И как?

– Чудесно! Решил, кому все оставлю!

– Кому?

– Благотворительному фонду.

ЦИТАТА УМНОЙ ЖЕНЩИНЫ

– Никогда не стоит переоценивать свою роль в чужой жизни, а также роль другого человека в твоей.

ПОЗИТИВНЫЕ НОВОСТИ

Из беседы с близким другом, чья компания уверенно представлена в журнале «Форбс».

– Из хороших новостей могу отметить, что в России наконец победили коррупцию.

– Хочешь сказать, чиновники перестали брать деньги?

– Берут, но теперь они за эти деньги ничего не делают. А согласись, это уже мошенничество, а не коррупция.

ЦАРСКОЕ

В Москву мы с К. Ю. Хабенским ехали на ночном экспрессе. Дворец дворцом, кровать кингсайз, душ-шмуш, но я все равно нашел к чему придраться. В ответ на вопрос, как я спал, из меня выползло недовольное:

– Все хорошо, но мне длины кровати не всегда хватало.

– А ты, когда спать ложишься, корону-то снимай.

Вспомнил классику.

ЛУЧШАЯ ЦИТАТА МОЕГО «КИНОТАВРА»

– Александр, очень был рад с вами лично познакомиться, а вы, оказывается, такой приятный в общении человек, несмотря ни на что.

Задавать уточняющий вопрос я не стал.

СОЦИАЛЬНО–СЕТЕВОЕ

Заметил тут: если коммент отдает злобой, травлей, ханжеством, осуждением и агрессией, то на странице у субъекта коты, собачки, цветы и закаты, а в профиле написано «светлый человечек, всех люблю, мир, согласие, радость, свет».

НЕ ПОСПОРИШЬ

– Александр, почему опаздываем на час?!
– Гениям можно!
– Именно поэтому я не понимаю, почему вы-то опаздываете.

МЕТОД ЦЫПКИНА 2.0

Друзья, мне опять было видение. Господь разговаривал со мной и поделился лайфхаком. Итак, ваша жена или девушка не отвечает на звонок и не слушает аудиосообщение. Эсэмэсит, что занята, и чтобы вы написали текстом, что надо, а вам лень набирать. Как заставить ее прослушать ваш речитатив? Легко!!!

Записываете. Посылаете. А вслед сообщение:
– Ой, это не тебе!
Через 0,1 наносекунды вы узрите результат.

ПЛАНЫ НА ЛЕТО

Обмен аудиосообщениями с актером Милошем Биковичем.
– Сань, как лето? Ты где?
– До 23-го в Сан-Тропе, потом на Ибице, ты?
– Я до 22-го в Мытищах, потом в Алтуфьево, хотя не знаю... Посмотрю.
Обожаю моих друзей за чувство юмора.

ФЛИРТ

Прихожу читать диктант ко Дню грамотности. Пчелы против меда, канеш.

В коридоре идет навстречу незнакомая девушка:

– А я вас знаю!

Я изящно, как мне кажется, шучу.

– С какой стороны?

В ответ – кувалда.

– Со стороны жены.

Вот так и исчезает моя самостоятельная иден-
тификация...

ОДНОЙ СТРОКОЙ

Только в Израиле таксист может попросить
тебя тише говорить по телефону, потому что ты
мешаешь говорить ему.

РЕАЛИСТ

Из ночной беседы с давним другом, крупным
федеральным чиновником, обладающим фили-
гранным чувством юмора.

– За тобой, конечно, надо записывать!

– Сань, за мной уже лет десять записывают, хочешь, у ребят запись попрошу.

НЕ СУДЬБА

Дело было в домобильную эпоху, то есть начало
90-х, я так понял. Стандартная ситуация – меж-
столичный роман. Парень сажает девушку на

ночной поезд из Москвы в Питер, недорогой, поэтому долгий, из тех, что стоят везде. Трогательное прощание, даже локомотив прослезился. Вагончик тронулся, девица еще больше в рыдания, не могу, мол, без него. Молодежь, что с нее взять. В итоге в Твери она выходит, чтобы вернуться назад. Всегда ценил в отечественных женщинах безбашенность. Прибывает поезд в Питер, и проводница начинает отчаянно тереть глаза. В вагон входит провожавший товарищ с букетом цветов. Он тоже решил, что жить не может, ну и захотел погусарить. А денег особо нет. Он в итоге поехал в Питер ночью на машине! На бензин наскреб. Рассчитал, что поезд долгий и он успеет обогнать. Успел, в общем.

А мобильных телефонов нет. И ключей от его квартиры у девушки тоже не было. Чем дело кончилось, понятно, никто не знает. А интересно.

УСТРИЦЫ И СЕКС. ХОРРОР

Я познакомился с устрицами довольно поздно, лет в двадцать пять. Будучи мнительным и брезгливым, я, как мог, их избегал, но однажды попал на прием, который открывался устричным буфетом. То есть ничего, кроме этих безобразных на вид моллюсков и шампанского, не было, а есть хотелось очень. Лет с четырнадцати. Да-да, именно в этом возрасте я осознал, что если меня и добьет какой смертный грех, так это будет отнюдь не похоть или лень. Я поглощал все, что лежало плохо, средне, удовлетворительно или хорошо. И тут такой вызов. Решил, что пора лишиться буржуазной девственности. Сковырнул странную субстанцию, втянул в рот и замер. Проглотить солоноватую, склизкую гадость не представлялось возможным. Выплюнуть тоже. Вокруг светская общественность. Замер. Обдумываю положение. Приятель, видевший начало устричного конца, поинтересовался:

– Первый раз?

Кивнул.

– Проглотить не можешь?

Кивнул.

– Глотай быстрее, не мучай животное.

Замер глазами.

– Ну они живые же, подыхают только в желудке.

Замер всем телом.

– Цыпкин, чего у тебя рожа, как будто это тебя проглотили. Ну да, она живая, не повезло ей. Если прислушаешься – она даже пищит у тебя во рту, так что глотай. Только вторую не сразу.

Я вымычил, от слова «мычать»:

– Почему?

– Они трахаться начнут. Животное если чувствует, что кранты, инстинктивно начинает размножаться; вот они и начнут у тебя в желудке спариваться. Устрицы поэтому и афродизиак, что выделяют перед смертью кучу тестостерона.

Я визуализировал и понял, что умру прямо сейчас с устрицей во рту, причем раньше нее. С ней и похоронят. Лицо отразило всю гамму переживаний.

– Цыпкин, ты что – дебил?! Я тебя развел! Устрицы у него в животе трахаются! Я сейчас сдохну от смеха.

Через минуту о диалоге знал весь состав вечеринки. Я сбежал.

АЛИБИ

Один из концертов прошлого года, замечательный российский город, все закончилось, я, как обычно, подписываю книги, фотографируюсь. Это занимает около 30–40 мин. Очередь уже почти закончилась, как вдруг в зал влетает огромный мужчина в зимней шапке, пальто, с бешено сверкающими глазами и практически издалека начинает кричать: «Еще не поздно подписать книжку и сфотографироваться?! Я не опоздал? Я успею?!»

– Да, пожалуйста, никаких проблем.

Вижу, что он запыхавшийся, удивляюсь: как так, неужели он вышел из театра, уехал, а потом вернулся, вспомнив, что нужно сфотографироваться? Оказалось — нет. Он был последний в очереди, поэтому у меня была возможность узнать тет-а-тет, чем вызвана такая паника.

– Вы, Александр, не обидитесь?

– Нет, не обижусь.

– Честно?

– Честно.

– Я вас использую в качестве алиби.

– Так, а поподробнее?

– На концерт я ваш, разумеется, не пришел. Променял на встречу с прекрасным.

– Понимаю, о чем вы говорите.

– Но фотография мне нужна, показать жене.

– А что будет, если вас спросят, что я читал.

– А вот именно поэтому я и рассчитываю на вашу благосклонность. Не могли бы вы сказать, какие рассказы читали? Если они есть в интернете, я бы с удовольствием прочел, пока еду домой.

Находчивый человек!!!

БЕЗ НАЗВАНИЯ

У моей английской подруги уходил близкий человек. Уходил совсем. Знал, что осталось несколько месяцев, был весел, ни о чем не жалел. Подарил миру великую фразу:

– Мне необязательно жить длинную жизнь, я прожил очень широкую.

ОКУНИ И ПИКАССО

Я знал, что, как только кончатся сюжеты, надо начать пить с попутчиками в вагоне поезда. Такого, конечно, не придумаешь. Гражданин любил рыбалку, но иногда говорил жене, что едет ловить окуней, а сам шел в Музей современного искусства и там пару дней наслаждался ранним Пикассо. Помощницу просил на рынке покупать ему улов, с которым он возвращался. Все было расчудесно, пока ассистентка не купила морского окуня вместо речного, а начальник не посмотрел. Жена, увидев новую фауну, (внимание!) послала фотку подруге, чтобы понять, как готовить. Ну далее все кончилось адской разборкой со всеми дуремарами, большинство из которых, как вы понимаете, реально гробили жизнь, сидя с удочкой в озерной глухомани. Но это уже никого не волновало. Ершей запихали участникам забега в задницу, ну а потом ловлю рыбы запретили всем и навсегда. Равно как и охоту. Но самое смешное в этой истории – мой разговор с женой Оксаной после публикации зарисовки в «Инстаграме»:

– Котик, я что-то не поняла, в посте с дуремаром про рыбака ты написал, что мужик говорил жене, что едет на рыбалку, а сам шел на два дня в Музей современного искусства смотреть раннего Пикассо. А жена что, против Пикассо? Почему?

Я безвозвратно теряю дар речи, пользуюсь жестами.

– Оксана, ты сейчас вот серьезно?

– Да, а что?

– Это фигура речи, метафора! Разумеется, он трахаться с любовницей шел, а жене говорил, что на рыбалку!

– В музей?!

– Что в музей?

– Он шел трахаться в музей? Любовница – экскурсовод?

Начинаю орать.

– Какой экскурсовод?! Он просто шел трахаться!!! А я назвал это походом в музей на Пикассо, это литературный прием! А ты вот что, реально подумала, что муж от жены на два дня в музей уходил?!

– Ну мало ли, устал от нее, а в музее медитировал.

– Устал от жены? Двое суток безвылазно медитировал? На Пикассо?! Котик, пока есть такие доверчивые девушки, можно быть спокойным за счастье наших мужчин.

– Нет, котик, просто это только для тебя поход в музей – событие настолько невозможное, что ты его используешь в качестве гиперболы. И да, ты в музеи теперь без меня не ходишь, так же как и на рыбалку.

ИЗ РАЗГОВОРА
С МОЛОДЫМИ ПИАРЩИКАМИ

– Питер – прекрасный город, но есть одна малозаметная, незначительная особенность, я бы даже сказала леталька, специфика менталитета. В ней есть даже что-то похожее на очарование, непосредственность и искренность. Просто я не смогла приспособиться и поэтому переехала в Москву.

– И что же это?

– В Питере отчаянно не любят платить деньги за работу.

Возьму к себе в рассказ.

ОСТОРОЖНО – СПОЙЛЕР!

Мы с Оксаной фанаты «Игры престолов». Ждали, когда выйдет новый сезон, как инстаграм-блогер – вай-фая.

Итак, лечу домой на запредельной скорости, чтобы рухнуть на диван и впиться в третью серию. Прихожу, у Оксаны довольный вид.

– Котик... Я не выдержала, я прочитала в интернете описание серии, я теперь все в подробностях знаю!

– Молчи! Убью!

– Буду молчать! Обещаю!

Смотрим. Вижу, как Оксану буквально разрывает. Но держится. Вдруг спрашивает.

– Слушай, а как ты думаешь?..

– Стоп! Вопрос без спойлеров?

– Без спойлеров, конечно! Ты что!

– Задавай.

– Котик, как думаешь, кто именно убьет Короля ночи?

Что было дальше, не помню. Крик, кровь, насилие.

За ночь Оксана, как третий терминатор, собралась назад из кусков. На завтраке с самодовольным видом задала всей семье вопрос:

– Как вы думаете, на какую героиню из «Престолов» я больше всего похожа?

Хор из трех голосов, не сговариваясь, грохнул:

– Серсею, конечно!

Вы бы видели это разочарование на лице. Чуть не заплакала. Решил уточнить, кого она сама считает своим прототипом. Оказалось – Арию... Очень полезная для семейной жизни информация. Теперь шарю по шкафам. Ищу список Оксаны. Хотя если Оксана считает себя Серсеей, то можно ползти на кладбище сразу.

РАБОТА ТАКАЯ

Хотите универсальное оправдание любому человеческому пороку и поступку? Ложь, нетерпимость, распущенность, жестокость, предательство, высо-

комерие, трусость, расхлябанность, вседозволен-
ность, истеричность, эгоизм, лицемерие, конфор-
мизм и многое, многое другое вы можете оправдать
двумя словами: творческий человек. И все уважи-
тельно-понимающе закивают головами.

Сам такой. Работает безотказно. Живу, горя не
знаю теперь.

*На этом антракт окончен. Возвращаемся
на зрительские места. Второе отделение.*

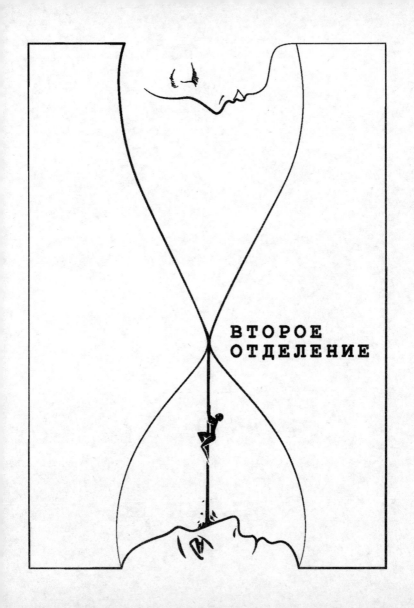

ВТОРОЕ
ОТДЕЛЕНИЕ

ЧЕШИРСКИЙ КОТ
С ОКРОВАВЛЕННОЙ
БЕНЗОПИЛОЙ

Славик-не-говори-неправду вышел из ресторана и начал курить. Через минуту понял, что сигарета не подожжена, и он активно вдыхает воздух через табачный фильтр. Неудивительно.

Славик многое бездарно терял в своей жизни, начиная с девственности, которую надо было, конечно, отдать страждущей умопомрачительной маминой подруге, а он замутил что-то невнятное в пионерском лагере со страшненькой вожатой, заканчивая постиранным накануне свадьбы паспортом. Но сегодня он взял Эверест.

Славик потерял папу... Точнее, урну с его прахом, которая пролетела полмира, чтобы сделать Славика чуть богаче. И это за два дня до похорон. Похорон официальных. Похорон с размахом.

Дата выбрана, место на дорогущем кладбище найдено, родственники в сборе, ВИП-гости подтверждены, нужный актер готов, ресторан для поминок проплачен. Всё есть. Покойника – нет.

Славик задумался о Фрейде и подсознательном. Может, он специально урну потерял, чтобы хоть как-то отомстить папе, заварившему всю эту чурчхеллу? Надо сказать, Марк Иосифович поставил всю семью в такую геометрическую позицию, что добрым словом его поминали абсолютно все, но особенно Славик, который «обожал» заниматься семейными делами. В гармоничном сочетании безусловного цинизма и глобального разгильдяйства, трех любовниц, бизнеса (ну как бизнеса – перераспределения взяток) и прочего отягощения Славику не хватало именно этого: завещания, в котором папа просил кремировать его по месту жительства в Балтиморе, а вот закопать прах приказал (именно приказал!) в Москве на конкретной аллее Троекуровского кладбища, в день, согласованный с астрологом, и в присутствии известного народного артиста России, которого нужно убедить прочесть стихотворение Марка Иосифовича, обращенное к детям. Задание сие усопший в присутствии нотариуса и своего адвоката поручил именно Славику, а не его сестре Маше, что Маша и прокомментировала:

– Жаль, папочка не попросил все то же самое проделать на Красной площади, мне кажется, Славик был бы достоин такой задачи.

Маша, как и многие, любила Славика. Было за что. К примеру, он один раз подложил в комнату 15-летней целомудренной девочки использованный презерватив, стуканул на нее и лишил сестру не только свободы прогулок на месяц, но и поездки в зарубежный языковой лагерь. Причем Славик-не-говори-неправду это сделал просто из вредности.

Вы спросите, почему Славик, не имевший, как мы знаем из предыдущих историй, ничего святого, не послал папочку с его посмертной волей к чертовой бабушке, где Марк Иосифович, скорее всего, и так находился? Все просто.

Кончаловский.

Художник, который стал дорого стоить, а у папы была коллекция общей стоимостью несколько миллионов. Семейные драгоценности господин Корн оставил дочке Маше, а вот живопись расписал Славику, но с вышеуказанным условием и комментарием о праве продажи только через десять лет. Деньги из сейфа (дедушка Марк по старинке предпочитал наличные) передавались внукам поровну, минуя детей. Немного, но все-таки.

Завещание огласил адвокат Марка Иосифовича в присутствии всей семьи. Маша смеялась в голос. Украшения стоили значительно дешевле картин, но их можно носить или продать. И детей у Маши было двое (в отличие от Славика, который сразу подумал, не взять ли задним числом приемного ребенка на несколько месяцев к своему родному сыну, чтобы обналичить папин счет, но понял, что жена Люда на это уже не пойдет).

– А десять лет, Славик, еще надо прожить. Да ведь? – это была вторая Машина фраза. Третьей она его добила.

– И я беременная, если что. Мои 75% денег на внуков, дружок.

Славик осязаемо сдулся и укоризненно посмотрел на жену. Та нашлась:

– А я пять лет уже предлагаю второго сделать! Я так понимаю, если бы дедушка Марк сразу предупредил, ты бы сам выносил пятерых, да, Славик?!

Муж Маши смутился и вышел из ситуации.

– Маш, нам и своих денег хватит, можем сыну Славика отдать... Все-таки Славик папе больше посылал...

– Не можем, Дима, не можем! Как папа написал, так и будет. Я этого момента тридцать три года ждала.

Славик после оглашения воли отвел адвоката в сторонку. Сын покойного не то чтобы бедствовал, миллион не являлся для него уж такой невозможной суммой, но дело было в принципе вообще и принципиальной жадности в частности.

– Игорь Сергеевич, я вот думаю...

– Вячеслав Маркович, извините, что перебиваю, я знаю, о чем вы думаете. Вы хотите предложить мне взятку за то, чтобы не хоронить папу, как он просил, и ради этого готовы продать мне коллекцию за полцены.

– Откуда вы знаете?.. – Славик даже смутился. Он хотел отдать картины за 70%, но мысленно сейчас согласился на 50%.

– Точнее, вы хотели отдать за 70%, а сейчас удивились, промолчали и согласны на 50%, так ведь?

Славик понял, что перед ним Архитектор из «Матрицы», и не стал юлить.

– Да. Вы что, мысли читаете?

– Нет, мысли читал ваш отец, причем ваши будущие мысли. Это он мне сказал, как все будет – слово в слово, цифра в цифру. Он вас очень хорошо знал.

Славик разозлился.

– А хотите, я теперь прочту ваши мысли?

– Сделайте такую милость.

Игорь Сергеевич был предельно вежлив и напоминал Чеширского кота, но с окровавленной бензопилой, спрятанной в кустах. Именно таким должен быть настоящий адвокат. Даже дьявола, а тем более Марка Иосифовича Корна. Славик пилу почувствовал. Запах крови и металла. Вкус крови и металла. Внутри Славика стало как-то зыбко.

Он улыбнулся, точнее, скривился. Предельно четкое ощущение реальности несколько раз спасало Славику большие деньги и один раз жизнь. Спорить он раздумал.

– Вы меня пошлете подальше с любыми предложениями? Я же правильно понимаю?

– Удивительная проницательность. И кстати, если вы десять лет будете смотреть на прекрасную живопись, душа станет светлее.

– Моя или художника?

– Моя. Меня чужие души не очень волнуют, в основном тела, как живые, так и мертвые.

Славик-не-говори-неправду слышал хорошо, особенно подтексты.

– Игорь Сергеевич, когда я буду писать завещание, я приглашу вас.

– Разумеется, пригласите. Но очень надеюсь, что вы меня переживете. Да, дарить картины вы тоже не имеете права, формально они в собственности моего фонда, там к завещанию небольшое допсоглашение. И будем считать, что мы с вами тоже согласились. Вы же понимаете, что все хитрые идеи, которые придут в вашу голову, давно уже пришли в мою, и воля вашего батюшки будет выполнена любой ценой. Уверен, вы знаете значение слова «любой» в контексте Меня и Цены.

Славик хмуро подтвердил кивком.

– Тогда вы свободны. Пока. Шучу. Рад был вновь увидеться.

Неожиданный поклонник Кончаловского вернулся в общую комнату. Сестра спросила не без злорадства.

– Послал тебя? Влип, мой хороший?

Славик автоматически ответил:

– Да не то слово. Еще эту мазню ни продать, ни передарить никому нельзя.

– Славик, ты хоть в «Википедии» про Кончаловского прочти! Но это же не просто дорогой художник! Это легенда!

– Может, махнемся на цацки? Устроишь легендарный музей, я буду за 200 рублей приходить всей семьей каждые выходные.

– Ага, а ты прабабкины бриллианты своим курицам подаришь?

– Маруся, ты меня знаешь, я никому ничего никогда не дарю. Могу дать подержать. Все деньги Люде, она заслужила.

– Знаю. Ты безупречный муж. Это меня всегда изумляло. Вот ответь мне, почему они все с тобой спят бесплатно? – злорадство сменилось на обиду.

– А не с кем больше в этой стране. Она проклята. Мне кажется, сюда души самых безбашенных распутниц на перевоспитание отправляют, дают красивое тело и ноль мужиков нормальных. Так как насчет обмена?

– Никак, Славик. Жду приглашения на похороны, не экономь уж. Я приду в бриллиантах. Если надо помочь реально, дай знать...

Маша улыбнулась висками и добавила:

– Я откажу тебе с особым цинизмом.

А дальше для Славика начался «бразильский карнавал» с организацией кремирования через океан, поиском концов на Троекуровском (тут помогли папины связи в мире физики твердого тела), переговорами с актером, приглашением гостей, ну и, наконец, доставкой урны в Россию к нужной дате. Надо сказать, даже друг отца по Академии наук спросил Славика, а не хочет ли он прах оставить в Америке, а здесь просто устроить поминки. Москва всех приводит к общему знаменателю.

Славик на секунду задумался, но вспомнил про кота с бензопилой.

– Нет, это как-то не по-божески – волю отца не выполнить.

– Брось ты, Славик, папа был материалистом. Он тебя оттуда не накажет.

– Он и отсюда нормально справляется. – Славик поежился, – Не могу, Борис Дмитриевич... совестно.

– Сентиментальный ты стал. Что тоже хорошо. Ладно. Кладбище устроим. Недешево, но великому человеку – великие траты.

– Я не то чтобы великий. – Славик в кои-то веки сказал правду.

– Я про отца. Твое время еще придет. Да не грусти ты так. К счастью, отцы один раз умирают.

Славик задумался о словах бывшего научного сотрудника, ставшего нынешним королем ряда редких металлов, но тот его самокопания прервал:

– Зато я тебе несколько нужных людей на похороны приведу. Очень нужных, особенно для твоего, скажем так, бизнеса. Новенькие на своих постах и пока голодные. Так что продумай все детали. Они люди со вкусом, особенно к похоронам. А вообще жаль твоего папашу, глыба, а не человек. Поэтому и свалил вовремя и тогда, и сейчас. Я к нему, кстати, несколько раз за советом летал. Э-э-эх, купил бы я у тебя одного Кончаловского, но Игорь Сергеевич... С ним не договориться.

Борис Дмитриевич тоже съежился. Славик понял, что абсолютно любое существо при воспоминании об Игоре Сергеевиче ежится одинаково. Срабатывает какой-то инстинкт.

Ну а через несколько дней случилась катастрофа.

Славик получил урну в аэропорту, вышел на улицу, собрался сесть в свой спортивный автомобиль, поставил урну у багажника и думал, как ее разместить, но рядом остановилась красотка спросить дорогу. Славик оценил перспективы, девушку уболтал, сказал, что проводит сам, попросил ехать за ним, а об урне вспомнил уже вечером, когда спаивал свою новую подругу перед привозом на конспиративную квартиру. Разводку от знакомства до секса за 24 часа Славик ценил особенно и даже сам с собой соревновался в количестве таких блицкригов в течение года. В этом он шел на рекорд. Мысль про урну пронзила его, как кол из арсенала Ивана Грозного, когда Славик посмотрел на пепел сигареты. Он вышел на воздух, неудачно покурил, позвонил в аэропорт (там сказали: посмотрят по камерам) и вернулся к подруге. Рассказал.

– Отец у тебя зверь, конечно, такой гемор устроить. А он не мог, как понял, что помирает, срочно сюда прилететь? Только об себе люди думают.

– О себе.

– Чо?

– Ну не об себе, а о себе. Да не важно. Скажи, а ты бы забила на папину последнюю просьбу?

– Я?! Да я если папашу своего найду, я его живым в крематорий запихаю и конфорочку на единицу поставлю!

Славик понял, что трахаться в таком состоянии он не сможет, слил барышню, договорился с собой, что в зачет этот съем все равно пойдет, заперся дома, вновь позвонил в аэропорт (там ничего не нашли, камера была куда-то не туда направлена или вообще не работала) и набрал Игоря Сергеевича.

– Игорь Сергеевич, я папу потерял.

– Понимаю... Постепенно приходит осознание потери, я сам полгода в себя приходил...

– Игорь Сергеевич, вы не поняли, я его совсем потерял.

– Понимаю, именно необратимость ухода накрывает через...

Славик рванул.

– Я потерял урну с его прахом! Вы единственный, кто знает. Что делать будем?! – Славик автоматически разделил ответственность. Он даже сам себе умилился.

Из трубки потянуло свинцом.

– Вячеслав Маркович, а я понимаю, почему папа вас так любил. В чем-то вы единственный в своем роде. Что МЫ будем делать?

– Прекрасный вопрос. Позвольте полюбопытствовать, почему «МЫ»?

– Вы же не бросите меня одного в такой ситуации?! Мне не на кого больше рассчитывать. – От интонации Славика расплакались бы даже змеи на голове горгоны Медузы.

– Похороны на послезавтра назначены?

– Да.

– Эх, Вячеслав Маркович, боюсь, не успеем мы из другой могилы пепел достать и сюда привезти.

Славика ударило током. Он, конечно, сразу все понял, но решил растянуть пытку и задал риторический вопрос:

– Пепел достать? Откуда?

– Ну... – Игорь Сергеевич закашлялся.

– По условиям завещания я мог рассказать об этом только на сороковой день, но с учетом сложившейся ситуации... У вашего отца есть еще одна могила. В Балтиморе. Надеюсь, не нужно объяснять, зачем она нужна.

Славик осел, как асфальт при промыве дороги.

– Не нужно. Я не тупой. И сколько их?

– Могил?

– Я спросил про детей, но давайте и с могилами разберемся. Может, папа в нескольких городах франшизу открыл...

– Могил две: одна в Балтиморе и вот одна в вашей, скажем так, разработке.

– Нашей.

– Ну да, в нашей. А детей в Америке двое. Мальчик и девочка.

Славик открыл виски, налил и выпил залпом за отца.

– Пол, цвет глаз и прочие детали меня не очень интересуют. Интересует возраст и что они знают про нас.

– Семь и двенадцать. Про вас не знают ничего. Марк Иосифович умел хранить секреты.

– Это точно. А почему папа оставил всё нам? – Виски немного промыл извилины, и Славик начал задавать правильные вопросы.

– А почему вы думаете, что он оставил вам всё? – Игорь Сергеевич рассмеялся.

Славик-не-говори-неправду вспомнил, как в детстве папа его наказывал. Он говорил про четыре этапа воспитания: работа, неизвестность, боль, раскаяние. Было очевидно, что Игорь Сергеевич был на границе боли и ждал Славика по ту сторону.

– То есть у папы что-то еще было…

– Было.

– Я не то чтобы удивлен, просто последние несколько лет я высылал ему деньги, так как он говорил о своем бедственном положении… А внукам он передал почти полмиллиона, я думал он как-то скопил…

– А может, положение и правда было бедственное, ведь все зависит от того, с чем сравнивать.

В голосе опять разлился Чеширский кот.

– Ваши деньги папа не копил, он их проигрывал в казино, это были единственные деньги, которые он тратил только там. Говорил – откуда пришли, туда отдам. Ему просто было приятно, что вы о нем не забываете. Что касается его собственных финансов, то он оказал настолько неоценимые услуги Родине, что Родина ему кое-что передала в управление. Он вложил деньги в какие-то акции и немного заработал...

– Игорь Сергеевич, не тяните. Сколько?

– 75 миллионов долларов.

Славик хотел откусить стакан, но вспомнил, сколько стоят зубы, и передумал.

– И ВСЕ досталось этим двум ублюдкам?

– Марк Иосифович сказал, что вы их назовете именно так. Ну просто в воду глядел. Как я уже сказал, на сороковой день я бы сообщил всем о главном распоряжении и поведал всем членам семьи друг о друге. Тем детям по пятерке, три Маше, десять поровну внукам в России, по достижении 18-летия. Обращаю внимание: внукам, родившимся и зачатым на момент его смерти (я знаю, о чем вы опять подумали). Хотя вы имеете право свою сумму потом разделить между нынешними и будущими детьми. Ну и вся семья пожизненно полностью застрахована на случай серьезных заболеваний, сумма покрытия по 2 миллиона на каждого...

– Я считать умею. Кому остальное?

– Остальное в Фонд борьбы с Альцгеймером.

Удары судьбы Славик переносил, как Овечкин летящие в него шайбы. Но тут прилетел целый метеорит. Славик выдохнул.

– Альцгеймер... Это из-за мамы...

В голосе Игоря Сергеевича вдруг исчез даже намек на доброжелательность.

– Конечно. Он ее по-настоящему любил. Последний ее год был для него адом. Жаль, что вы тогда так и не приехали.

Славик ответил быстро и холодно.

– Она бы меня не узнала, так что ей было бы все равно.

Славик, конечно, все понимал. Истинно циничные люди знают реальную цену настоящим чувствам. Он тогда боялся приезжать. Присылал деньги. Иногда очень значительные, по его понятиям, деньги. Деньги… Как это смешно звучит после новостей о семидесяти пяти миллионах долларов.

Игорь Сергеевич продолжил уже без жестокости, скорее с сожалением.

– Ей да, а вот ему нет. Марку Иосифовичу было бы не все равно. Он вас ждал. Вы знаете, что это значит. Ждать.

Славик-не-говори-неправду опять сорвался:

– Знаю! Мне тоже было не все равно! Поэтому и не приезжал.

Осекся он сразу. Игорь Сергеевич даже не успел ответить.

– Извините, Игорь Сергеевич…. Глупость сказал.

– Почему же глупость, все очень человечно. Я не вправе судить.

– Спасибо… Игорь Сергеевич, у меня два вопроса… важных…

– Давайте, раз важные.

– Как вы думаете, почему он мне оставил только коллекцию? Месть? Урок? Издевательство?

– А второй?

– Почему через сорок дней?

– Почему через сорок дней после смерти разрешил все вам рассказать?

– Да.

– Не знаю, думаю, как это ни странно, он во что-то верил, в том числе в то, что на сороковой день там что-то решается. Может, хотел проверить вашу общую искреннюю реакцию или, наоборот, боялся ее.

– Неужели боялся, что я его прокляну из-за денег или, наоборот, хотел узнать, насколько я его возненавижу за этот весь цирк со похоронами?

– Мне кажется, он продумывал разные варианты. Я сам удивился, но, когда и астролог всплыл, понял, что Марк Иосифович решил предусмотреть все. Такой он был человек. Помните, как у вас всегда было два школьных портфеля и две формы. Так ведь?

Славик почувствовал укол ностальгии. Попытался про него побыстрее забыть и задал вопрос, ответ на который ничего хорошего ему не сулил:

– Ну а почему мне только коллекцию оставил? Не бойтесь, я ко всему готов.

– Марк Иосифович сказал, что с деньгами у вас никогда не будет проблем, что вы слишком талантливы и беспринципны, чтобы быть бедным. А вот чего-то настоящего, чего-то своего и незаменимого вам явно не хватает. Людей вы не очень любите, может быть, полюбите картины, ну или людей через картины. И потом он понимал, что так вы минимум десять лет будете о нем помнить. И, помимо Кончаловского, для вас есть еще пара работ... поинтереснее. Я бы сказал, помеждународнее.

Чеширский кот вернулся, и на этот раз без пилы.

– Уверен, автора даже вы знаете. Его все знают. Но тут я все-таки подожду сорокового дня. Маше тоже будет небольшой ювелирный сюрприз. Мы же никуда теперь не спешим?

Славик вновь ощутил себя ребенком, который впервые сел со взрослыми биться в преферанс и не мог не восхищаться их продуманными решениями. Папа приучал его к своим играм с ранних лет, и, надо сказать, их партнеры по картам могли бы составить отдельную энциклопедию выдающихся личностей своей эпохи. Славик утонул в воспоминаниях и ответил мечтательно.

– Нет. Теперь точно не спешим.

Но быстро вернулся в панику.

– Игорь Сергеевич, а что будем с похоронами-то делать?..

– Попробую за завтра через американских товарищей достать пепел из могилы и переслать сюда.

– А если не успеем?! Перенесем всё?

Славик при всем своем цинизме побоялся предложить план «Б». А вот самый близкий Марку Иосифовичу человек, его адвокат – не побоялся. Он даже впервые за все эти дни пришел в негодование.

– Вячеслав Маркович, вы вообще в своем уме? Что значит ПЕРЕНЕСЕМ?! Это вам не свидание с девушкой, это похороны вашего отца и моего ближайшего друга, это событие, оно не переносится! Не успеем – значит, похороним воздух. Чистый московский воздух. Потом довезем прах. Нельзя земные дела отменять в угоду небесным. Это так...

Игорь Сергеевич искал слова и перебирал пальцами. Нашел их не сразу, но зато точные.

– Так не по-московски.

ЖЕЛЕЗНОДОРОЖНЫЙ БЕГЛЕЦ

История, рассказанная мне проводницей. Как вы знаете, поезда иногда останавливаются. Граждане выходят посмотреть на перегон, перекреститься, что живут в городе, а не на этом пустыре, или, наоборот, взгрустнуть о суетности мегаполиса и очаровании провинциального неспешного бытия. И конечно, все по традиции ждут бабушек с пирожками или детей с квасом. Теперь все чаще приходят бабушки с пепси и дети со сникерсами. Тем не менее есть один момент, всех объединяющий. Время стоянки. Это как часы Золушки. Три минуты. Тридцать минут. Не важно. Секунда опоздания – и стоишь в тапках на морозе, смотришь в хвост уходящего вагона.

Итак, мужчина ехал – не скажу откуда и куда. Засел к проводнице и излился тоской. Возвращался из командировки домой к супруге, по его словам, женщине трогательной, но удушающей. Заела мужа до крошек. Залюбила. Заэаботила. Так бывает. И вот остановка. Даже с каким-то вокзальчиком, на который можно метнуться в буфет. Дедлайн – десять минут. Проходит пять. Пассажир возвращается. Мечется. Обращается к проводнице:

– Простите, вам ведь можно доверять?

– Можно.

– Я в буфете друзей нашел. Останусь я на этой станции. Все вещи передайте жене. Она меня встречать будет. Паспорт в пальто. Вы уж сберегите. Я его брать не буду, чтобы, пока она мне его пришлет сюда, хотя бы дня два-три прошло, а куда я без паспорта отсюда уеду. Деньги тоже в кармане пальто. Я немного возьму, вот вам, кстати, на Восьмое марта.

– Оно через полгода, и не надо мне денег, я и так вас не сдам. Вы же домой потом вернетесь?

– Конечно! Я просто дух переведу! Я жену люблю, просто... ну... вы понимаете! Портфель мой тоже сохраните, пожалуйста, там бумаги кое-какие по работе.

Дело было в 80-х, и тогда о терроризме никто не знал, поэтому и посылки передавали, и к таким ситуациям спокойно относились: что там у командировочного может быть в вещах? Сейчас, наверное, в таких случаях багаж с поезда снимают (интересно, кстати, надо узнать). Проводница тем не менее все проверила и мужика заботливо выпроводила.

– Идите уже, а то не успеете, скоро поедем. И смотрите, вы мне обещали!

– Честное слово! Сам к вам приеду на вокзал, вы же все время на этом поезде, значит, найду вас!

Пройдоха забежал в купе, вернулся, собрался выйти, но был остановлен бдительной проводницей.

– Вы совсем, конечно, непутевый. Вырядились как в ЗАГС. Снимите рубашку и брюки. Останьтесь в пиджаке на майку и тренировочных. Пиджак, майка, тренировочные и ботинки. От поезда только так отстают. У вас жена же не дура.

Обалдевший «Штирлиц» исполнил приказание. Через пару недель беглец явился к поезду уже по месту окончательного прибытия, отыскал проводницу, подарил букет, конфеты, сказал, что это были лучшие дни за долгие годы: жил он у друзей в сельском доме, питался как в раю, спал как ребенок, у деревенских женщин вызвал живой интерес, хотя и не воспользовался им, за что его особенно зауважали и немедленно предложили работу в местном колхозе (он им там еще и пересчитал что-то грамотно), подрался один раз. Через четыре дня жена сама привезла ему паспорт и деньги. Встречал ее на станции вместе с новыми друзьями. Все уговаривали их переехать. Не уговорили.

Я у рассказчицы-проводницы, женщины мудрой и рассудительной, спросил:

– Как думаете, почему она ему помогла?

– Из женской солидарности.

– Как это?

– Ну поняла, наверное, что если этому мужику выдохнуть не дать, то наломает дров, хуже будет. Сбежит еще, не дай бог. А так пожил в деревне, соскучился по дому и успокоился, да и для здоровья полезно.

Как же далеко от нас те времена тихого угасания СССР. Мрачные, скудные, несвободные, но при этом в чем-то более человечные и простые, чем наши. Хотя, может, дело всего лишь в том, что о любом «бывшем» или «бывшей» через какое-то время после расставания вспоминаешь только хорошее. О «бывшей» своей стране тоже.

ДЕВОЧКА, КОТОРАЯ ВСЕГДА СМЕЯЛАСЬ ПОСЛЕДНЕЙ

Неприятный разговор. Сложный. Каждый вечер откладываешь его, и поэтому дни начинают лететь с особенной скоростью. И вроде бы вменяемый адекватный мужчина, должен понимать, что сама собой ситуация не разрулится, не прилетит волшебник в голубом вертолете и не объяснит жене, что он хочет с ней развестись, потому что полюбил другую. А здорово бы было, да. Вернулся домой. Она ждет его с праздничным ужином и словами: «Ты не представляешь, как я рада, что ты наконец нашел свою любовь! Мы прожили несколько прекрасных лет, останемся друзьями, желаю счастья». Но так бывает только в галлюцинациях на фоне передозировки. В реальности нужно собраться и как-то начать.

– Наташ, хотел поговорить.

Тридцатипятилетний Григорий Розин выбрал, честно признаемся, не самое лучшее время и место для объявления жене Наталье новой вводной относительно их дальнейшей жизни. Супруги с шестилетним стажем лежали в постели, на часах торжественно застыло 23.59. Через минуту наступит понедельник, и длинные майские выходные превратятся в тыкву.

– Гриня, ты чего так торжественно? – Наташа копалась в телефоне. – Что случилось?

– Ну, у меня новости не самые хорошие

– Так. Ты меня пугаешь. У тебя со здоровьем что-то?!

Наташа любила мужа, ну точнее, он был для нее самым близким человеком, лучшим другом, родной душой, поэтому она переживала из-за любых с ним связанных пустяков. Такая безусловная, безграничная привязанность. Чего только не выдумает женская душа, когда осознает, что самой банальной (простите за этот термин, но нет его точнее) «бабской» любви к мужчине нет, а муж он прекрасный. С первого класса нам твердят «страсть проходит, а хорошего человека днем с огнем не найдешь». Вот мы и ведемся на эту мистификацию.

Во взгляде жены Гриша увидел такую искреннюю тревогу, рука, обнявшая его, была такой теплой и родной, что он в очередной раз струсил.

– Нет, ну что ты! Я про Алика, точнее, про его ненормальную Яну: они все-таки собираются к нам в Аликанте вдвоем, они опять сошлись.

Квартира в Аликанте. Многие сейчас улыбнулись, да. В нефтяные годы ручейки маслянистой жидкости, в которую когда-то превратились динозавры, растеклись по всей стране, и самые обычные люди вдруг начали мечтать. Забавно, что строй в России меняется, а грезы остаются однотипными. Дети тех, кто клал жизнь ради шести соток на озере, видели во сне пятьдесят метров на Средиземном море. В такой недвижимости нет ничего плохого, кроме одного. Она становится новым членом семьи, ее нужно навещать всякий раз, когда появилось время, и не важно, хочешь ты этого или не хочешь. Перед вами весь мир – от закатов Венеции до восходов Амстердама, – но ты едешь в Аликанте, потому что КУПЛЕНО. Надо использовать. Постепенно начинаешь ненавидеть свое рабство всей душой и пытаешься затащить в свою тюрьму друзей.

«Да зачем ехать в Турцию, давайте к нам в Аликанте! Отдадим вам большую комнату, прекрасно проведем время!» – именно этими словами открываются обычно ворота в настоящий ад, ведь на них почему-то отзываются самые тяжелые в общении друзья, и именно те, которые будут теперь пользоваться вашей квартирой, как своей, в любое время года. А отказать уже сложно. Неудобно же.

Наташа еле отошла от предыдущей поездки с Аликом и его подругой, поэтому от такой новости мгновенно вспыхнула.

– Гриш, ну ты помнишь прошлое лето?! Не ты ли уехал раньше меня? Только не надо мне в уши лить про работу. Ты сбежал. Ты можешь своему другу прямо сказать, что он – велкам, а она – нет! Хочешь, я скажу?

Муж пробурчал:

– Не надо.

Она любила в нем даже слабости, поэтому моментально переключилась на ласковый тон.

– Я тебя понимаю, тебе ругаться не хочется, но иногда нужно уметь сказать «нет». Что за привычка по отношению ко всем быть милым и пушистым?!

Гриша молчал и смотрел в сторону. Он ненавидел конфликты. Наташа поняла, что проще все решить самой.

– Хорошо, это твой друг, тебе сложно, я сама скажу Алику, пусть считает меня мегерой. Давай спать, не переживай, я со всем разберусь.

Гриша кивком согласился и так расстроился от предстоящей разборки с Аликом, что забыл грядущий развод, а значит, проблема отпуска в Аликанте с мозговыносящей Яной отпадет сама собой. Пока в его голове происходила логическая битва, Наташа обняла Гришу и уснула.

Утром он пошел гулять с собакой и набрал Алису. Бассет по имени Тор услышал прерывистое:

– Нет, не поговорил, ну не смог, не вешай трубку!.. Мне тяжело!.. Нет, не люблю, ну по-человечески, конечно, она для меня друг, родной человек, я не могу так просто взять и отрубить. Ну ты пойми, я для Наташи всё... Откуда я знаю?! Мы шесть лет вместе, знаю уж как-нибудь! Ну какие деньги... ну что-что... Я ей все отдам, уйду с одним чемоданом. Тора даже ей оставлю, она его так любит. Ну ты что, просто нужно какой-то момент выбрать. Ну конечно, я тебя люблю! Не говори так! Да, я трус. Тебе легче от этого? Всё. Я обещаю. Сегодня! Как поговорю, сразу напишу.

Почти же в это же время кот Арзамас, проживавший у Гриши с Наташей, но не требовавший прогулок, услышал другой занятный разговор. Его хозяйка жарила омлет и параллельно оправдывалась.

– Ну малыш, ну что ты меня торопишь... Такой разговор требует особенного момента. Честно скажу, я просто не представляю, что с Гришей будет. Он без меня как без рук, он вообще к жизни не очень приспособлен, и мне нужно как-то все это продумать... Ну подожди, ну... Да, я трушу. Ну как тебе не стыдно, какие деньги, какая квартира?! Я соберу вещи и уйду, даже Тора ему оставлю... Нет, это же совсем жестоко, он его так любит. Господи, лучше бы он был скотиной, проще было бы развестись. Что?! Ну о чем ты говоришь, кто у него может быть, он святой человек, в этом и проблема, как можно спать со святым...

Нет. Это не так! Это не мой эгоизм, он мне не дороже, чем ты! Ну хватит! Я тебя люблю, как никого в жизни. Ну ты пойми, мне не только нужно сказать, что ухожу, но и к кому... А как я могу не сказать? Нет, он имеет право знать. Он прекрасный человек, я от него получала только хорошее, и он заслужил честность. Ты сейчас серьезно? То есть либо сегодня я говорю, либо всё? Хорошо, я тебя поняла. Нет, ну ты тоже имеешь на это право, да, я понимаю, что тебе больно каждый день. Прости. Правда, прости, я что-то не о том думаю. Справится он без меня, мужик все-таки. Да обещаю. Целую. Да там. Долго. Всё, молчи!

Омлет сгорел. Гриша вернулся и пошел мыть Тору лапы. Еще раз подумал, с кем останется собака после их развода, и убедил себя, что по-мужски будет оставить пса жене. Наташа зашла в ванную, увидела эту трогательную до боли в груди картину и утвердилась в мысли не разрушать их мужскую дружбу. Умеющий читать мысли кот Арзамас был уязвлен в самое сердце. О нем в этом контексте вообще не подумали. Он решил сбежать.

Родные люди позавтракали, обменялись необязательными словами и в очередной раз задумались, а не совершают ли они ошибку, меняя тепло на жар. Оба решили, что не совершают, и запланировали на вечер окончательный разговор.

Днем Гриша встретился с Алисой. Сам приехал к ней в студию, она преподавала йогу. У него не было четкой цели. Может, просто хотел ее увидеть, а может, рассчитывал получить поддержку перед не самой приятной беседой. Второе неожиданно случилось. Алиса была мягка и впервые за долгое время проявила по отношению к любящему ее Грише сочувствие.

— Гришенька, ты думаешь, я сука бесчувственная, думаешь, я не понимаю, как тебе тяжело? Но ты просто пойми, ты тем, что тянешь, делаешь хуже всем. Вот сейчас ты Наташу еще по-своему любишь, она тебе близкий человек, друг, ты абсолютно прав и это нормально, но пройдет еще месяц, и ты ее начнешь ненавидеть, и не только потому, что она стоит между тобой и жизнью со мной, женщиной, которую, как ты говоришь, по-настоящему любишь...

— Ты что, не веришь?

— Верю, конечно, просто так фразу построила. Знаешь, мне тоже не очень легко обо всем этом говорить. Так вот, ты ее возненавидишь за то, что она будет у тебя ассоциироваться с твоей же трусостью и нерешительностью, понимаешь? А сейчас вы можете расстаться, она будет для тебя практически тем же, кем была, — другом и членом семьи.

Гриша с тревогой уточнил.

– А ты как на это будешь смотреть? Если мы продолжим общаться с ней?

– Абсолютно нормально. Нам с ней нечего делить, у тебя ко мне одни чувства, а к ней – другие, я же это вижу. Давай так. Предложи ей завтра поужинать всем вместе. Я уверена, она согласится, и я сделаю все, чтобы выстроить правильные отношения.

– Ты с ума сошла? Она либо тебя убьет, либо меня, либо сама этот ужин не переживет...

– Ты можешь просто меня послушать и предложить?.. Нет так нет. У меня тоже, если честно, совесть нечиста. Я точно не собиралась ни чью семью разрушать, но в итоге-то разрушила...

Гриша тут же с укором возразил:

– Алиса, ты ничего не разрушила. Вообще ничего! Это полностью моя вина, точнее, тут даже не вопрос вины. Ну что делать, если я ее разлюбил.

– Разлюбил? А ты разве ее любил?

Гриша глотнул воды, вытащил из стакана лимон и начал жевать, обдумывая ответ.

– Теперь, после встречи с тобой, понимаю, что, наверное, нет, ну, точнее, – не так, как мужчина должен любить женщину. Я ей предложу, может, и правда вы подружитесь, мне, конечно, было бы гораздо легче.

Алиса мечтательно улыбалась, выковыривая банан из торта.

– Уверена, что мы подружимся. Она меня гораздо красивее и не так уж сильно старше, так что нет особых причин для личной ревности.

– Ты считаешь, она красивее тебя?!

– Ну, Гришечка, ну конечно, это даже не обсуждается...

– Я так не думаю...

– Это потому, что ты меня любишь. Поговори с ней. Мы еще втроем шампанского выпьем, увидишь!

– Так и вижу, как вы с ней меня обсуждаете... Она тебе такое про меня расскажет, что ты меня бросишь.

Алиса очаровательно расхохоталась. У нее был особенный смех: казалось, ее веселит не шутка или ситуация, а то, что не все понимают, что именно вызвало у нее такую реакцию.

Вечер наступил стремительно. Вот вы спросите, кто первый сознался? Думаете, Наташа? Нет. И не потому, что духа не хватило, просто она все еще сомневалась. А Гриша нет.

Его жена резала помидоры в салат. Он набрал воздух в легкие и без предупреждения выпалил:

– Наташ. Я сейчас скажу ужасную вещь. Я люблю другую женщину. Она меня тоже... Я не знаю, как так вышло, но... в общем...

Наташа повернулась к Грише, у нее в руках застыл нож. Гриша посмотрел на него и замолк.

Изумление. Главное чувство, которое испытала Наташа от такого признания. Не облегчение от того, что ее поведение теперь не будет выглядеть предательством, не ревность, не обида, что она столько месяцев берегла чувства мужа и жила двойной жизнью. Она не могла поверить своим ушам. И не только потому, что она считала себя гением интуиции, а значит, видела мужа насквозь, а из-за невозможности представить Гришу, это милое, добродушное, но практически уже бесполое для нее существо, в состоянии взаимной любви. Она даже заподозрила Гришу в блефе. Предположила, что он узнал об ее отношениях и придумал свои, чтобы не было обидно.

– Ты серьезно сейчас? И давно у тебя роман?

Гриша все еще смотрел на нож. Наташа это заметила и положила его на стол.

– Не переживай, я, конечно, в шоке, но не в аффекте. Так давно?

– Почти полгода... я собирался сказать уже давно, но... я...

– Гриша, сядь.

Гриша даже стоять не мог, ходил по кухне, как тигр по клетке. Нет, с тигром Гришу сравнить было все-таки сложно. Лучше с крупной цветной рыбой в аквариуме.

– Натуль, ты не представляешь, как мне сейчас стыдно… Ты мне самый близкий, самый родной человек, но…

Наташа не дала ему закончить.

– Гриша, подожди, у меня тоже роман, и я тоже именно сегодня хотела о нем рассказать.

Рыба замерла, как будто неожиданно поняла суть своей жизни, факт существования аквариума, квартиры, дома, планеты и всей Вселенной. В одну секунду.

– Это как?

Гриша даже выглядел как вдруг заговорившая гуппи.

– Так же, как у тебя. Я полюбила другого человека и хотела предложить тебе развестись, но не решалась, боялась, что ты эту новость не переживешь. Я, как выясняется, ничего не понимаю в людях.

Гриша наконец сел.

– Я, судя по всему, тоже…

– Тор останется с тобой, – после повисшей паузы одновременно произнесли любящие друг друга люди и рассмеялись. Им стало легко, как будто врач сообщил об ошибке в смертельном диагнозе или лотерейный билет принес каждому миллион долларов. Они обнялись и поклялись остаться настоящими друзьями. Долго болтали о том, как они одновременно поняли, что перепутали дружбу с любовью, и так же одновременно нашли это редкое чувство, и как прекрасно, что они могут друг другу все честно сказать и порадоваться взаимному счастью.

– Гриш, у тебя ведь настоящая любовь? – Наташа спросила с тревогой и искренней заботой.

– Самая, а у тебя?

– Мне кажется, тоже.

– Кажется?

Настало время Гриши обозначить свои переживания за жену.

– Ну, у меня не самый простой вариант.

– Кто он?

Гриша поймал себя на мысли, что разозлился только от предположения, что его жену кто-то может любить недостаточно сильно.

Наташино лицо потеряло беззаботность.

– Давай я вас познакомлю. Хочешь, прямо завтра?

От неожиданности Гриша уронил кусок шоколада. Предложить встречу с Алисой он еще не успел.

– Интересно. Я тоже хотел тебя познакомить со своей... не знаю, как ее назвать, в общем, с той, в которою влюбился. Хотел, чтобы вы увиделись. Она сказала, что будет рада, если мы с тобой останемся друзьями...

– Хороший, значит, она человек, и тебя любит. Давай завтра тогда поужинаем вчетвером.

Они заснули вместе, под одним одеялом, как будто ничего не случилось.

Ресторан для встречи выбрала в итоге Алиса, назвала Грише адрес, ну а тот передал уже Наташе. Муж и жена пришли первыми.

– Мы, конечно, Натуль, ненормальные. Вместо того чтобы рвать друг на друге волосы и устраивать бойню за кота и собаку, решили тут же всех перезнакомить. Может, спросить, что им заказать?

Гриша изучал меню, когда его телефон зажужжал.

– Хотя вот Алиса пишет, что уже здесь.

– Алиса? – с неожиданным подозрением, переходящим в страх, спросила Наташа.

– Ага, ее зовут Алиса, да вот и она.

Гриша увидел, как Алиса входит в зал ресторана, встал из-за стола, сделал несколько шагов навстречу. Обнял, поцеловал, развернулся, чтобы представить ее жене, и увидел абсолютно белое лицо. Он понял, что что-то не так, но автоматически сказал:

– Наташа, это Алиса, Алиса, это Наташа.

Наташа встала, ее нижняя губа дернулась, она холодно ответила: «Мы знакомы» – и пошла к выходу.

– Наташ, стой, ты куда?!

– Она тебе объяснит.

Неожиданно Алиса вступила в разговор:

– Наташ, останься, давай всё обсудим, тебе разве не интересно?

Наташа развернулась, на ее лице смешались ярость и боль.

– Хорошо, я выкурю сигарету и вернусь, раз ты считаешь это интересным, а ты пока все объясни Грише.

Гриша и Алиса сели за стол.

– Алиса, что происходит?!

– Ты и правда до сих ничего не понял?

Насмешка обожгла Гришу холодом.

Он понял, но не мог поверить, поэтому помотал головой.

– Нет.

– Гриш, ну чего тут непонятного, у меня роман и с тобой, и с твоей женой. Каждый из вас готов ради меня другого бросить, а я, честно скажу, даже не знаю, что с этим со всем делать. Смешная, конечно, ситуация. Ты заказал мне что-нибудь?

Гриша молчал до прихода Наташи. Его сознание отказывалось признать, что это все реально.

От Наташи осталась одна боль. Он села напротив Алисы и, пытаясь убрать дрожь из голоса, спросила.

– Алис, у меня один вопрос.

– Всего один?

Алиса вновь завораживающе засмеялась. Гришино лицо накрыла судорога. Наташа облизнула пересохшие губы.

– Один. А за что?

– Что «за что»?

– Ну ты же разрушила наши жизни, намеренно, спланированно. За что?

Сильной женщиной была Наташа, но ситуация ее раздавила именно своей абсолютной необъяснимостью.

– А ты как думаешь?

В голосе Алисы переживаний было не больше, чем у ведущего «Как стать миллионером» на начальных вопросах.

– Месть? Мы что-то тебе сделали?

– Нет.

Алиса удивилась даже самому предположению. В ее системе координат, безусловно, мстили иначе.

– С тобой самой что-то сделали, и ты мстишь всему миру, это из детства?

Все-таки как трогательно интеллигентные люди пытаются найти оправдание тем, кто без зазрения совести накидывает им петлю на шею...

Алиса переводила свой насмешливый взгляд с развалившегося Гриши на пылающую Наташу. Она подумала, что если сейчас расскажет историю о подростковой несчастной любви, то они еще и все деньги ей отдадут, а может, и удочерят, но сдержалась, точнее, не сдержалась.

– Не замечала в тебе страсти к психологии. Прекрасное у меня было детство, да и вообще жизнь вроде как неплохо идет. Наташ, знаешь, в чем ваша беда?

Наташа теребила бусы и пыталась как-то удержаться на плаву.

– Наша – это чья?

– Ну вот таких добрых и хороших людей, как вы оба. Вы думаете, что то, что вы называете злом, обязательно должно иметь причину, объяснение, оправдание, вы их отчаянно ищете, если со злом сталкиваетесь. Вы не можете принять, что его совершают просто так. Из любопытства. Из развлечения. Потому что могут. Мне просто было очень интересно за вами наблюдать, слушать ваши истории друг о друге, ну и, конечно, дико интересно было, чем же все кончится. «Игра престолов» же отдыхает. Понимаешь? Тебе бы взять меня сейчас за волосы да долбануть об стол со всей силы, так, чтобы лицо хрустнуло, а ты тут в детского психолога играешь. И да, вы сами всё разрушили, сами. На меня не надо валить. Друзья. Родные люди. Светлые человечки, да?

Алиса злобно усмехнулась. Наташа и Гриша опустили глаза.

– Оба чуть ли не обрадовались, когда узнали, что у другого роман, так же вины меньше, да?

Она замолчала, полистала меню.

Что-то мне ничего не нравится, пойду я. Вы, если решите между собой, с кем я останусь, дайте знать.

Она встала из-за стола и пошла к выходу.

Наташа почти что крикнула ей вслед:

– А ты сама бы кого выбрала?

Алиса остановилась. Развернулась. Посмотрела по очереди на обоих. Вспомнила сцену из «Криминального чтива» в подвале у Зеда, улыбнулась, ответила:

– Обоих, Натуль, вы только в наборе хороши.

И заливисто рассмеялась.

ЭВТАНАЗИЯ

Марина Краевская работала кардиологом в одной из московских клиник, иногда принимала дома. Сердца в столице работают из рук вон плохо, и пациентов у толкового врача всегда хватает. Тем не менее этим утром у Марины образовалось окно, которое заполнил неожиданным визитом занятный пациент.

– Доброе утро, Федор Сергеевич. Удивили…

Следователь запутался в шнурках и пытался снять ботинки усилием воли, поэтому отвечал с некоторым напряжением в голосе, без казенной любезности, а скорее с извинениями.

– Добрый. Простите, что вас дома побеспокоил, но вы у меня единственный кардиолог знакомый, а как-то с утра плохо себя почувствовал. Сегодня, сами знаете, к чужому врачу попадешь – или всю зарплату оставишь, или вообще домой не вернешься. Правда, спасибо, что приняли.

Марина усмехнулась, попробовала пошутить, но обиду, а точнее, акцент на некий принудительный характер визита поставила.

– Ну как не принять следователя, особенно если он вас еще и в убийстве подозревал? Вы мне уже как родной. Что случилось-то?

Слышал следователь хорошо, но избирательно, ответил так, будто шутку оценил, а вот акценты не заметил. Или, может, ему просто стало легче без обуви. Он наконец свободно вздохнул и включился в обмен колкостями.

– Марина, ну что вы так сразу. У меня работа такая – подозревать. Вы же тоже всегда подозреваете, что человек болен. И ваши приговоры иногда пострашнее моих, да и адвокат не предусмотрен.

Последняя собственная реприза, если можно это так назвать, понравилась сыщику особенно, он даже положил руку на плечо Марине, но она решила, что разговор и так чуть более дружеский, чем бы ей хотелось.

– Философствуете? Вам идет. Да и вам можно. Так в чем мне ваше сердце подозревать?

Федор Сергеевич покорился и перешел к делу, начав, правда, все равно с остроты.

– Стучит как-то не так. Да я давление померял, высоковато, а мне в командировку ехать, побаиваюсь.

– Ну стучит – это уже хорошо. Сейчас я кардиограмму сделаю, посмотрим, что у вас там, да и давление я сама померяю, вы же наверняка этим новым измерителем пользуетесь, им верить нельзя. Раздевайтесь.

– Совсем?

Марина удивилась неожиданному кокетству строгого обычно следователя, но списала такую метаморфозу на встречу в ее кабинете. Тем не менее ответила сухо.

– По пояс.

Наблюдая за запутавшимся в пуговицах сыщиком, Марина нарочито спокойно поинтересовалась:

– Не нашли убийцу-то?

Следователь так же нарочито и так же спокойно ответил.

– Нашел.

– Надо же. И кто же он? Любовник какой-нибудь?

– Не он. Она.

– Даже так? Расскажете? Ну, после того, как я вас послушаю.

Она приложила холодную печать к спине пациента, который с добродушной усмешкой определил направление дальнейшего течения разговора.

– Конечно, расскажу. Убийца вы.

Марина как будто не обратила внимания:

– Не говорите ничего, дышите глубоко. Спасибо. Интересное предположение.

Она вынула из ушей «оливы», по врачебному повесила дужки на шею и с любопытством прокомментировала:

– Во-первых, вы же знаете, что у меня алиби, а во-вторых, если я убийца, почему же вы ко мне в кабинет пришли, а не я к вам?

– Говорю же, давление скачет, нервы не в порядке, как и у вас, я предполагаю. Вот хочу поговорить. Не как следователь с подозреваемой, а как человек с человеком. Может, нам обоим этот разговор поможет с ним справиться:

– С кем?

На этот раз следователь ответил без лишней любезности или легкомыслия.

– С давлением, Марина. Я без прелюдий. Я знаю, что Ларису убили вы, знаю – как, знаю, что вы обеспечили себе неопровержимое алиби, но ничего доказать не могу, да и, скажу честно, не то чтобы хочу. Но у меня есть информация, которая может быть очень важна для вас как для человека. Я бы даже сказал, она может изменить вашу жизнь, если, конечно, в этом есть необходимость. Я ею поделюсь, если вы дадите мне ответы на два вопроса. Они тоже важны для меня как для человека. На мне нет никаких прослушивающих устройств, можете проверить. Хотите, штаны сниму? Могу телефон в машину отнести. Что скажете?

Марина сжала губы. Все ее тело превратилось в точку, которой когда-то была наша Вселенная перед Большим взрывом. Федор Сергеевич понял, что для старта реакции нужно всего лишь несколько слов. Он их всегда умел находить. Нужные слова.

– Молчите. Понятно. Ожидаемо. Марин, я же вижу, что вы нормальный человек, врач, вы людей спасаете и живете с тем, что убили женщину, которая виновата лишь в том, что ее полюбил ваш муж. Нет, я все понимаю: чувство собственности, ревность, деньги большие…

Большой взрыв. От голоса Марины по кабинету пошли волны. Сначала наполненные болью, затем силой и наконец яростью.

– Ничего вы не понимаете! Ничего!

Следователь мог быть доволен. Подождав, пока воздух перестанет вибрировать, он спокойно ответил:

– Так объясните. Я и правда чего-то не понимаю.

– Чего именно? Вам же все очевидно. – Сарказм врача соединился с сарказмом женщины.

Федор Сергеевич флегматично перечислил:

– Я не понимаю, почему вы убили ее только сейчас, через несколько лет после развода. Это первое. И почему убили не сразу, как пришли, к ней, а поговорили, потом вышли на улицу, постояли, вернулись и только тогда выстрелили. Это второе.

Следователь рисковал. Его предположение строилось на таких незначительных деталях, что вероятность попадания в цель была довольно низкой, а в случае ошибки его авторитет моментально бы рухнул. Но он понимал, что если прав, то стена, разделяющая его и правду, исчезнет, как это часто бывает в масштабных магических шоу.

Марина отреагировала именно как зрители такого шоу – с еле скрываемым восторгом, который, правда, в силу обстоятельств в течение пары секунд трансформировался… Нет, даже не в страх, а в равнодушие и непонимание.

– Если вы, как вам кажется, знаете, как все было, почему же не арестуете меня прямо сейчас?

Если бы Марина сейчас измеряла кардиограмму, то, вероятно, заметила бы небольшой скачок внутри Федора Сергеевича. Все-таки не каждый день он ставил на зеро и выигрывал. Но он именно потому и слыл грозным соперником в карточных играх, что лицо его редко предавало нервную систему. Флегматичность никуда не исчезла.

– Во-первых, алиби, во-вторых… Я думаю, вы поймете, если мы все-таки произведем информационный обмен. Так почему убили-то?

Марина отошла к окну, долго собирала буквы в слова, слова в предложения, а предложения в абзацы. Проверила весь текст еще раз и спокойно, без колебаний зачитала свое, как ей казалось, последнее слово.

– Я ее убила, потому что эта тварь не имела права дальше жить. Просто не имела права и всё, и кто-то должен был ее остановить. Вы думаете, я истеричка ревнивая? Нет. Просто так нельзя.

– Как?

– Мой Сережа любил ее больше жизни, а она просто его выпотрошила со своими дружками. Я же его тогда отпустила без сцен и претензий. Понимала, что ему с ней лучше будет, чем со мной, сама чуть не удавилась, но отпустила. И простила и ее, и его. Думала, любовь всей жизни, ну что тут скажешь. А выяснилось, что эта тварь всё просчитала! Всё! А Сережа даже когда все узнал, пытался ей оправдание найти. Ко мне пришел, рыдал, говорил, жить не может без нее и простит, если она вернется.

– Он пришел к вам? – на этот раз настал черед удивляться Федору Сергеевичу.

– А не к кому было больше. Она же всех друзей у него извела. Он от всех отказался. Если бы не дети общие, мы с ним тоже не общались. Но знаете, что ей никогда не прощу? Даже не то, что она у меня самое дорогое забрала, поиграла и выбросила. Нет.

– А что же?

Марина впервые отвернулась от окна и посмотрела на следователя.

– Она над ним насмехалась, говорила, что он слабак, терпила. Что не мужик. Что сам виноват. А он просто добрым человеком был. Понимаете? Добрым. И всё. Таких больше нет. В итоге у него сердце и не выдержало, он мне с работы позвонил, я раньше скорой прилетела, но все равно не успела... Умер за десять минут до того, как я приехала. И фотография этой сволочи у него на столе. Я поняла, что жить не смогу, пока она по земле ходит. Она по любому суду виновной была бы признана, я просто палач. Зато теперь я знаю, что не зря жила, хотя бы одну тварь остановила.

Настала очередь следователя взять паузу. Он как будто переслушивал аудиозапись, останавливая в самых важных местах, получил подробный ответ на первый вопрос, все понял и задал второй.

– Тогда почему убили не сразу?

Марина, вероятно, ожидала более проникновенной реакции на свои признания, а не просто «переходим к пункту два», поэтому ответила с раздражением.

– Почему, почему... Сил не хватило сначала. На курок не могла нажать. Думала, мне легко будет. Вы вот людей убивали?

Выбить профессионала из седла даже таким ударом не получилось.

– Нет. Не приходилось пока. А что, она пощадить просила? Плакала?

Марина опять мысленно перенеслась в тот вечер.

– То-то и оно, что нет. Просто смотрела с каким-то презрением и улыбкой. А когда я ушла, крикнула, что я такой же слизняк бесхребетный, как и Сережа, и что таких, как нас, такие, как она, всегда за скот держать будут. Я уже выходила, когда услышала: «Вы с ним просто корм, Марина, слышишь, просто корм». Я постояла, подумала, вернулась и сразу выстрелила. Но она в последний момент все-таки испугалась, я это увидела. Знаете, такой животный ужас в глазах. Доли секунды. Но он был. Так что все мы скот. Ну что, у вас еще вопросы есть? Если нет, давайте свою информацию.

– Извольте. Вот вы сказали, что в Бога перестали верить?

– Да, перестала. А что, у вас информация про его существование?

– Вроде того. У Ларисы была терминальная степень рака поджелудочной железы, диагноз поставили за месяц до убийства. Впереди у нее была очень тяжелая смерть. Очень. Она даже справки про эвтаназию наводила.

Марина прислонилась к стене. И медленно опустилась на пол.

– Зачем? Зачем вы мне это рассказали?.. Чтобы я теперь всю жизнь мучилась? Что я не только человека убила, но и зря, получается?

– Ни в коем случае. Наоборот, чтобы вы поняли, что вы не убийца, а всего лишь исполнитель воли Высшей. Милосердная медсестра с уколом. Эвтаназия в России запрещена. Пришлось вот вам эту задачу на себя взять. Так что спите спокойно, если, конечно, сможете.

– Скажите честно, а если бы не алиби, вы бы меня посадили?

– Я вам другое честно скажу. Только между нами. Алиби ваше говно. Но у вас сегодня новое появилось. Понадежнее. А теперь вы мне честно скажете?

– Что? Я все сказала.

– Не всё. Вы не сказали, как у меня с давлением...

– 120 на 80.

– Хороший доктор словом лечит, да, Марина?

НЕ СКАЖУ

Под Новый год случаются чудеса. Их все ждут, только вот чудеса не всегда сбегают из добрых сказок. Кто-то же должен принять в гости чудо, которое сразу хочется вернуть владельцу. В том декабре черное выпало Павлику. 30-е число. В воздухе висит страх. Страх не успеть купить подарки всем своим близким. Но Павлик этим воздухом не дышал. Он знал, что можно и в феврале их подарить, никто не умрет. Главное же внимание, а не дата.

Павлику было всего двадцать пять, а забот хватило бы на настоящий кризис среднего возраста. В реестре жизненного пути, помимо зачем-то двух высших образований среднего уровня, значилась работа менеджером, младшая сестра, висящая на его весьма хлипкой шее, жена, контролирующая и шею и голову, родители, считающие своим долгом быть везде, ну и, наконец, шестилетняя дочка Варя. С Варей было особенно тяжело. Павлику казалось, что дочка сомневается в целесообразности его существования в их квартире. Точнее, не так. Павлик ощущал себя необходимым в качестве этакого мобильного приложения, но интереса к своей душе со стороны ребенка не замечал. Странные запросы, скажете, но какие есть. Если говорить предельно простым языком, от Вари Павлику хотелось ощущения нужности, детского тепла, привязанности, а получал он хорошее поведение и даже снисхождение. «Мама, давай купим папе три шапки, он все равно потеряет две в первый день зимы», «Мама, а сегодня в саду папе опять сказали, что он мой старший брат», «Папа, почему бабушка не любит слово „менеджер" и говорит, чтобы я им не стала, и добавляет „Не дай бог"»... Настроение у Павлика, как вы понимаете, от этого не улучшалось. Нет, конечно, Варю он любил от этого не меньше, но себя видел дома каким-то... ну как лучше сказать... нет, не чужим, просто не очень обязательным для всех существом. Есть Павлик – хорошо, нет Павлика – чего-то не хватает, но привыкнем.

И вот тут этот Новый год. 30 декабря. Вечер. Хороший семейный вечер, то есть еда и четыре слова за два часа совместного времени.

– Убери посуду.

– Хорошо, уберу.

Потом Маша ушла в свою комнату, но быстро вернулась.

– А где Варино письмо Деду Морозу? Надо же ей подарок купить, а она сказала, что отдала тебе утром, когда ты ее в сад отвозил.

Павлик, которого в школе звали Рыба за то, что он ничего не помнил, напрягся, но быстро просветлел.

– В пальто у меня во внутреннем кармане.

Вставать с дивана Павлику, забетонировавшему себя подносом с едой, было решительно лень.

Жена ушла в прихожую, но неожиданно ее голос, больше похожий на сирену, вызвал Павлика на допрос.

– Паша, иди сюда, ты мне должен кое-что объяснить.

Слово «объяснить» было произнесено так, что поднос сам взлетел и притащил Павлика в прихожую.

Маша стояла с Пашиным пальто в одной руке и милой подарочной коробочкой – в другой.

– У меня к тебе только один вопрос, и он не про твою любовницу Ирочку. Я хочу знать, откуда у тебя деньги. Заработать ты их не мог, значит, ты совершил какое-то преступление, и я хочу знать какое. И да, где все-таки Варино письмо?

Паша не понял ничего. То есть совсем. Он не знал, кто такая Ирочка, что это за коробка, где Варино письмо и что отвечать жене. Не найдя ничего лучше, чем правда, он так все и сказал.

– Ты считаешь меня умственно отсталой?! У тебя в пальто коробка с украшениями с запиской Ирочке в Новый год! Ты ее украл? Ты клептоман? И правда, где Варино письмо? Или ты, может, поменял его на коробку?

Паша, как и любой растяпа, иногда мог выдать фантастический по скорости правильный ответ на, казалось бы, неразрешимую задачу.

– Точно! Я ее поменял!

– Я тебя сейчас убью.

Маша явно была не склонна шутить. А Павлик с рвением осужденного на казнь, но нашедшего оправдательную улику торопливо излагал суть дела.

– Не ее я поменял, а пальто! Дай мне его! Вот видишь, это Canali, стоит как машина! Оно просто на мое похоже! Я был сегодня на выставке одной, там гардероб самостоятельный, ну и прихватил, наверное. Письма поэтому нет, а коробка есть. Черт, как же ее теперь вернуть?! Дорогое, наверное, украшение, человек волнуется.

Маша как будто даже разочаровалась. Уже случившийся в ее голове скандал с потенциалом на длительный сериал не прошел питчинг и был отменен. Она понимала, что Павлик прав. Утром Canali на нем не было. Она внимательно изучила пальто и поняла, что даже цвет другой. Ревность все-таки отключает практически все части мозга, в том числе наблюдательность.

– Какой же ты болван... Ну вот как ты его теперь вернешь? Ладно Варино письмо, это мы сейчас разберемся, но украшения! Я просто поражаюсь. Как можно быть таким, а?! Что еще в пальто было?

– Ничего. Ничего больше не было. Паспорт... Вот черт! Паспорт же там!

В это время Варя вышла из своей комнаты.

– А о чем вы тут кричите?

– Ни о чем, просто папа у нас растеряша.

– А что он потерял?

– Он у нас потерял голову.

– А я думала, мое письмо Деду Морозу.

– Нет, ну ты что! Письмо уже у Деда Мороза, да, Павлик?

Павлик почувствовал идущее от Маши радиационное поле.

– Да, Варюш, конечно, письмо твое я передал в специальную почту Деда Мороза.

Варя с наследственным подозрением посмотрела на отца.

– Ты его не открывал?

– Нет конечно! Ты что, ты же его заклеила.

Варя как будто поверила.

– Ну хорошо. Мама, нас в садике попросили нарисовать дом Деда Мороза, помоги мне пожалуйста.

– Конечно, лапушка. Сейчас приду.

Маша сменила ласковый голос на Siri и продлила Павлику арест.

– Поговорим потом.

Выудить из Вари заказ на Новый год оказалось не так просто.

– Варюш, а я хотела тебя спросить... Мне так интересно, что ты у Дедушки Мороза попросила?

– Не скажу.

Варя была вся в маму.

– Почему?

– Потому что нельзя. По телевизору в одной детской программе сказали, что если хотя бы один человек узнает о том, что ты хочешь в подарок, то Дед Мороз не исполнит желание.

– Маме сказать можно.

Маша понимала, что крепость, скорее всего, не сдастся, но по инерции продолжала говорить нежным голосом. Варя посмотрела маме в глаза и сквозь частично выпавшие зубы прошипела:

– Мама, я не скажу. Никому.

Варя не сказала. Ни маме, ни папе, ни бабушке, ни вызванной тете Лиде. НИКОМУ. Маша, как человек упорный и системный, подошла к проблеме по всей строгости науки, но план «Капкан» результатов не дал. Звонок на выставку не помог. Пальто Павлика было объявлено пропавшим без вести. 30-е катилось к закату.

Положение было отчаянным. Что дарить Варе – не знал никто, а привлеченное внимание к ненавидимому уже всеми письму лишь усугубляло ситуацию. Виновным во всех бедах был, разумеется, признан Павлик. Жена и все остальные родственники вспомнили все провалы последних лет, а также обозначили Маше ее единственный провал – брак с Павликом. К Варе он вообще боялся подойти, при ней Павлика критиковали абстрактно, так, чтобы не вызвать у нее подозрения, но все всё понимали. Ситуацию решили спасти через Колю, сына общих друзей. Он был старше Вари на три года и очень ей нравился. Ему всё объяснили, конечно, сообщив, что письмо просто утеряно, нужно написать новое, что, мол, у Деда Мороза быстрая почта, и родители всё в письме Дедушке объяснят, но нельзя расстраивать ребенка. Факт назначения Коли во взрослые сделал свое дело. Он вступил в сговор. В качестве легенды ему выдали следующее:

– Пойдешь играть с ней в комнату и скажешь, что если поделиться секретом с очень близким другом (обязательно ребенком), что ты попросил у Деда Мороза, то друг тоже может написать, и Дедушка послушает.

– А это правда?

Коле было всего лишь девять лет. Маша даже разозлилась, но вовремя вспомнила о возрасте соучастника.

– Ну конечно, правда! И ты обязательно напишешь!

– Хорошо.

Девочки всегда остаются девочками. Через полчаса Коля вышел из Вариной комнаты с полученной информацией.

– Щенок.

Он был настолько окрылен успехом, что ему не хватало сигареты в зубах и «вальтера» в руке для полноты образа Бонда... Джеймса Бонда.

Маша упала на диван.

– Щенка?! О Господи... Не сказала какого?

– Нет, теть Маш.

– Ну хоть не крокодильчика. Павлик, ты понимаешь, что у нас теперь из-за тебя (повторяю: из-за тебя!) будет собака! Ты понимаешь, кто с ней будет гулять?!

Павлик мычал.

– Почему из-за меня?!

– А из-за кого?!

Спорить он не стал.

Родственников успокоили, в срочном порядке нашли дружественного Деда Мороза, купили маломерную собаку. Все втайне надеялись, что в письме породы не было, и, если что, решили сослаться на слепоту Дедушки и плохой Варин почерк. 31-го Варя практически не выходила из комнаты. В дверь позвонили. Варя выбежала, глаза ее горели. В дверях стоял синий костюмом и красный лицом Максим, сослуживец Павлика. Замаскировали его достойно. Он нараспев начал процедуру:

– А где тут живет девочка Варя, которая письмо мне написала?

Счастливая Варя лепетала:

– Это я...

– Ну что ж, Варенька, прочел я твое письмо, очень оно мне понравилось, и решил подарить тебе в Новый год нового друга.– Максим басил и растягивал каждый звук. Он в детстве мечтал стать актером.

Аниматор вытащил из-за пазухи живой комочек.

Варя моментально разрыдалась.

– Вы все обманщики!!! Я писала о другом!!!

И в слезах убежала.

Тишина не пробивалась даже мощным дыханием Максима. Маша взяла себя в руки.

– Нас что, Коля обманул, что ли?

Она пошла в комнату к Варе. Вернулась минут через пять.

– Всё совсем плохо. Коля нас не обманул, а вот она обманула Колю. Сказала, что решила проверить, есть ли Дед Мороз, а оказалось, мы все ее обманывали и просто потеряли ее письмо. Точнее, папа потерял. А если не потерял, то, значит, Деда Мороза не существует.

Павлику стало очень больно. Какое-то бесконечное отчаяние охватило его душу. Абсолютная уверенность в своей бессмысленности.

– Паш, я всегда говорила, что когда-нибудь твое разгильдяйство плохо кончится. Как хочешь теперь все разруливай. Я сдаюсь.

Варя папу к себе не пустила. Павлик сначала не осмелился сознаться. Он не мог понять, что для него хуже – разочарование дочери в нем или в Дедушке Морозе, но выбрал правду.

– Варечка… это я… я…

В дверь позвонили.

Павлик открыл.

На пороге стоял Дед Мороз.

Павлик посмотрел на Максима, жующего колбасу в прихожей, снова на нового артиста и грустно сказал:

– Вы ошиблись адресом.

– Вы же Павел Мышкин?

– Да, но, мы не заказывали Деда Мороза.

– Вы нет, Варя – да. А она дома?

– Вы не поняли, тут какая-то ошибка.

Неожиданно Дед Мороз перешел на шепот.

– Ну почему же ошибка, письмо же она писала, да и пальто ваше.

Дед Мороз достал раскрытое письмо и показал на пакет.

Паша начал осознавать, что это не ошибка.

– Вы что, мое пальто нашли?!

– Да тихо вы, да, нашел, надеюсь вы мое тоже, там вещь дорогая.

– Да, конечно!

– Но давайте сначала Варю поздравим.

Паша влетел в комнату.

– Варя, там пришел настоящий Дед Мороз! Тот был.. тот.. не тот, в общем, Дед Мороз.

Варя вышла в прихожую. Новый Дедушка голосом от старого не отличался и тоже запел.

– Варя, я внимательно прочел твое письмо. Это самое лучшее письмо из всех, что я читал, а читал я много, поэтому я сам к тебе приехал. Вот, как просила, дарю твоему папе скрипку, чтобы он играл.

Дедушка вернулся на лестничную клетку и принес скрипку.

Маша, Максим и Павлик заиндевели. Глаза Вари стали размером с Деда Мороза, который продолжил сказочным распевным басом.

– Папа Паша, Варя написала мне, что слышала однажды, как ты играешь, и что ты очень несчастный, потому что дома у тебя скрипки нет. Оказывается, она всем мешает. А она хочет, чтобы ты был счастливый.

Дед Мороз посмотрел внимательно на Машу, которая впервые за долгие годы потеряла дар своей язвительной речи.

– Так что теперь, Павел, играй сколько хочешь. Я тебе разрешаю. С Новым годом всех!

Варя кинулась Деду Морозу на шею.

– Спасибо, Дедушка!!! Я так верила!!! Папа, сыграешь мне, как тогда, в переходе? И играй мне каждый день, я тебя так люблю!

Она схватила скрипку и прыгнула к Павлику.

Павлик проглотил комок в горле. Он и правда как-то шел с Варей с кружков и увидел девочку, играющую в переходе. Выпускник музыкальной школы взял инструмент и сыграл... Так сыграл, что весь шумящий людской поток застыл, как Нева зимой. Варя смотрела на замерших людей и понимала: ее папа – волшебник! Настоящий.

Павлик не играл давно. Деньги этим заработать было невозможно, а дома звук скрипки считали вредоносным. Свою он кому-то в итоге подарил. Так все Варе и объяснил.

Он не думал, что дети – это те же взрослые, только добрые.

Через час пьяные Деды Морозы и родители Вари, чередуя слезы и смех, в деталях разобрали историю с пальто, изумились продуманности Божественного промысла (даже паспорт Павлика нашелся не вместе с пальто, а только в тот день утром в машине Деда Мороза, он там выпал). Последний тост был за второго Деда Мороза, который, взяв коробку, предназначенную Ирочке, поехал ее поздравлять. Она была его сестрой, одинок был Дед Мороз, но твердо решил начать думать о своих пока еще не родившихся, но очень теперь долгожданных детях.

В полночь Павлик взял в руки скрипку и сыграл для Вари, сидящей под самой елкой. А Маша мысленно задала Деду Морозу вопрос.

– Дедушка, а что я в этом году сделала не так, чтобы сегодня получить от дочки рисунок, от мужа шапку, а от тебя ежедневную теперь собаку и скрипку?!

Ее Новый год не задался. Ну, надо было хорошо себя вести…

СНЕГ

Витя с трудом поднялся с кровати. Голова привычно кружилась, хотелось лежать без движения, но он собрался с силами. Похороны его давнего студенческого друга проходили на каком-то заштатном кладбище. Вроде бы перед смертью все равны, но географию и деньги не обманешь. Поэтому к малообеспеченным гражданам, неудобно размещающимся на вечный покой, приходит до неприличия мало людей как на сами похороны, так и потом на годовщины.

Так вот, Витиного друга юности Борю хоронили именно неудобно. Если не на машине, то на метро – час и потом еще маршрутка минут сорок.

Маршрутка, идущая на кладбище. В них почему-то практически никто не разговаривает громко по телефону. Да и водители почему-то вежливее, чем в обычных. Хотя, может, нам так кажется.

Витин водитель буркнул: «Кто же сюда ездить-то будет...»

На улице было уже морозно и пока бесснежно. Витя даже как-то вдруг стал поживее себя чувствовать. Он в последнее время редко выходил надолго, а тут такая прогулка. Гостей пришло немного, хотя Боре было-то всего сорок девять. Обычно в таком возрасте если отчаливаешь, живы многие, поэтому похороны многолюдны. Но не в этот раз. Холодно, далеко, бедно.

Витя поймал себя на мысли, что хочет проснуться; он не мог поверить, что Боря умер. Вспомнил последний разговор с другом. Прошло всего четыре дня, а ему казалось – вообще пара часов. Последний раз они встретились в хосписе. Болтали.

– Ну как ты? А кстати, ты почему уже здесь? Я так понимаю, можно было бы дома пока…

– Можно, но я тут договорился, приняли пораньше. Подготовлюсь, так сказать, прочувствую атмосферу, мне так лучше, если честно.

– Своих не хочешь мучить, да?..

– Да. Они как посмотрят, так мне… Я тут, знаешь, стал мастером успокоения близких и друзей уходящих. Иногда мне кажется, это у них рак, а не у меня. Надеюсь, тебя успокаивать не надо, ты всегда был непробиваемый.

– Я и не собирался тут страдать и тебе сочувствовать, особенно когда медсестру увидел.

– Ты еще мой обед не видел! Честно скажу, я не помню, когда настолько размеренно жил последний раз: сплю по часам, ем тоже по часам.

– Может, поменяемся местами?

– Ой не-е-е, меня твоя Маринка в гроб за три дня вгонит, а тут мне врачи целых два месяца дали.

– Всего два...

– Ну да. Не разбежишься. Но у меня план по сериалам есть, которые я так и не посмотрел, литературу тоже хочу подтянуть, а то мало ли, на том свете библиотека, как в отеле...

– С авторами зато лично пообщаешься, это интереснее.

Мужчины засмеялись.

– Да мне организационно надо много что закрыть, если серьезно. Сдаю жизненный, так сказать, отчет. Вдруг выяснилось, что земля на даче оформлена криво, с акционерами кое-какие неясности есть, плюс у Сереги вопрос с поступлением. Короче, у меня тут расписано все по минутам до самого конца, хотя могу, конечно, умереть раньше срока. На том свете скажут «недоношенный». Ну, надеюсь, выходят уж как-нибудь.

– Это смешно, это я запишу. Может, тебе помочь чем? Ты говори!

– Нет, вот это смешно, а не то что мертвец недоношенный. Поможет он. Ты мне, конечно, как брат, но мы оба знаем, что если ты начнешь моими делами заниматься, то я и без земли останусь, и без бизнеса. Просто в гости заходи. Хотя нет, будет минутка, этой сволочи Ширину дай в табло, только не убей.

– Это запросто. Он и правда скот редкий, у самого руки чешутся. Убил бы. Но поберегу твое тамошнее спокойствие.

– Мое?

– Ну представь: я Ширина убью, и вы там сразу с ним увидитесь. То есть мы с тобой – хрен знает когда, а ты с ним – сразу. И мне обидно, и тебе неприятно.

– Лейкин, ты не ссы, я тебя сразу там увижу. Умру, зачекинюсь, как молодежь говорит, и сразу ты следом за мной.

– Почему? Думаешь, я тоже…

– Нет, конечно, я уверен, ты еще сто лет проживешь. Но пойми, там так все устроено, что время течет по-другому. Здесь года – там секунды, как в космосе. Сколько бы ты ни прожил, я тебя сразу увижу, даже соскучиться не успею. И меня там, ну, к примеру, баба Тома тоже не ждала все эти годы. По ее времени я почти сразу за ней приду.

– Ни хрена себе… Это кто тебе сказал? Или прочел где?

– Прочел в книжке одной. Как ты понимаешь, я тут в этой теме поднатаскался.

– Ну очень даже может быть... Подожди, тогда следующий вопрос: а как же ты меня узнаешь, я же старый буду?

– Лейкин, там не идиоты сидят, я тебя увижу таким, каким видел в последний раз. Это тоже такой фокус. Не понял, как устроено, но толково. Вот, допустим, бабу Тому я увижу там старой, а она меня – таким, каким я был десять лет назад, когда она умерла. А ее мама бабу Тому увидит девушкой молодой. Так что ты хоть пол поменяй, прибудешь ко мне мужиком, да еще относительно молодым. Бороду только сбрей.

– Бороду... э-э-э-эх... А мне нравится...

– Бриться тебе лень, придурок. Я же знаю.

– Ну да...

– У тебя-то как?

– Да... Хотел сказать: по сравнению с тобой, не так плохо.

– Всегда говорил: юмор – не твое. Так что плохого?

– Да в целом все хорошо, но Ксюша... Знаешь, что-то с ней не так.

– Что случилось?! Здоровье?! Может, чем помочь?

– Нет, что ты! Со здоровьем все хорошо, но у нее почти нет друзей, парня тоже нет. Ходит на лекции, возвращается – сидит дома либо бродит одна по городу, ну иногда на какой-нибудь день рождения свалит. Ну что это такое? Восемнадцать лет, гуляй не хочу! И ведь не страшненькая.

– Я бы даже сказал – красивая. Странно, конечно. Ну а интересуется чем-то?

– Да не то чтобы я знаю… Как ни спросишь – все вроде в порядке, подрабатывает вечерами официанткой, но все равно…

– Может, в религию ударилась?

– Вроде нет. Хотя она все время про Восток читает, но там скорее философия. Ты бы с ней нашел общий язык. Думал ее даже с собой взять, но она бы изревелась здесь, мне кажется. Она вообще-то чересчур впечатлительная, если честно.

– Чересчур, Лейкин, не бывает. И не всем же быть такими бревнами, как ты.

– Это точно. И с Маринкой у них тоже не очень. Я с Ксюшей пытаюсь сам говорить, но она на меня так смотрит, как будто это я ребенок и это я ничего не понимаю. Вот я, конечно, выступил, приехал к другу в хоспис и нагрузил!

– А ты не помнишь, как ты ко мне на сборы приехал и сожрал все, что мне мама привезла? Так что не переживай, в моей ситуации всех дел не переделаешь. С Ксюшей повидаюсь, надеюсь, реветь не будет.

– Спасибо, Витек… Эх, какой ты все-таки человек…

– Обычный. Ладно, мне сейчас кое-что делать будут, поезжай, созвонимся, увидимся!

– Спасибо, старик! Ну ты тут... даже не знаю, что сказать.

– Ну скажи «не скучай». Точно не ошибешься.

Боря вышел из хосписа, поехал домой, зашел к Ксюше, она слушала какую-то музыку. Решил прилечь и потом уже рассказать про дядю Витю. Он проспал до вечера, утром нужно было бежать на работу, в офисе Боре стало плохо, и через полчаса он умер. Внезапная остановка сердца.

Когда Вите сообщили, он долго не мог прийти в себя. Боря убежал на тот свет раньше. Молодой, здоровый Боря умер, а Витя в хосписе еще нет. Интересное у Бога понимание иронии, Ремарк бы оценил.

«Встречу его с дурацкой бородой, значит... Эх, Борька, Борька...» – Витя смотрел на лежавшего в гробу друга. После похорон Витя подошел к Ксюше.

– Дядя Витя, спасибо, что пришли... Он вас так любил. – Ксюша заплакала, но быстро остановилась, замялась и как-то аккуратно, но с большой любовью сказала: – Я все... все про вас знаю, поэтому как дела не спрашиваю, папа мне сказал, что вы в хосписе.

Обычно все произносили это слово через паузу, отводили взгляд, а Ксюша сказала все спокойно.

– Это да... Не самое веселое место, зато время есть подготовиться, все дела в порядок привести...

– Да. Папа вот не успел... Хотя он бы их еще больше запутал...

Слезы снова навернулись на глаза. Именно недостатки, какие-то дурацкие, раздражающие нас при жизни привычки мы потом вспоминаем десятилетиями как самое дорогое, что было в любимом человеке.

– Это точно. – Витя улыбнулся и обнял Ксюшу. – Ты лучше расскажи, как твоя жизнь?

– Все хорошо, дядь Витъ, учусь, работаю.

– Слушай, я врать не буду: папа мне сказал, что очень за тебя переживает. Ну... точнее – переживал, что ты все время одна. Уж насколько он носорог, а чуть слезу не пустил. Даже попросил меня с тобой встретиться. Получается, последняя просьба, сама понимаешь, не выполнить не имеем права. – Витя усмехнулся.

– Надо же... Не думала, что папа волновался... А я, представляете, давно хотела именно с вами поговорить.

– Давай, может, завтра? Только, если тебе несложно, ты ко мне приезжай. Место, конечно, не лучшее, хотя люди все хорошие... Но пообещай, что без слез. Мы твои проблемы решаем, а не мои, договорились?

– Конечно! Конечно! Обещаю, плакать не буду!

Ксюша была очень трогательная и какая-то очевидно неудобная для сегодняшнего мира. Казалось, ни мир, ни она не знали, что делать друг с другом. Одета очень просто, практически без косметики, одна сережка, браслеты индийские, телефон треснутый. Она хорошо отучилась в школе, легко поступила в университет, зачем-то на исторический, родителям так и сказала – чтобы от лекций получать хотя бы радость. Со сверстниками отношения были ровными, даже приветливыми. Ксюша много раз пыталась влиться в компании, но прислушивалась к беседам и понимала, что ей там тяжело. А еще у нее было незлое и радостное лицо.

Незлое и радостное лицо сегодня – очень большая роскошь. Люди настолько боятся завтрашнего дня, что, на всякий случай, встречают его готовыми к битве. Отсюда и злые лица. Конечно, у каждого из нас в гардеробе есть несколько добрых масок, и иногда мы в них ходим целый день, но, как только расслабляемся, сразу же становимся мрачными и агрессивными, ну или просто несчастными, тут уж как у кого с силами на данную минуту.

Витя завтрашнего дня, по понятным причинам, уже не боялся, и его лицо постепенно потеряло привычное выражение превентивной агрессии. А ходить несчастным он не мог себе позволить в силу характера. Не хотел никого оглушать своим диагнозом. Лицо у него стало добрым и счастливым, как и у Ксюши.

Лица Вити и Ксюши встретились. На следующий день Ксюша приехала в хоспис.

Долго разговаривали. Она о своей жизни, будущей. Он о своей, прошедшей и немного о будущей. Правда, Вите казалось, что это она ему объясняет, как все устроено, а не он ей, и вообще он стал сомневаться, кто кому нужен был больше в этот момент... Один их диалог Витя вспоминал до самого конца. Они вдруг стали обсуждать своих и чужих.

– Дядь Вить, свой человек – это же так просто. Все дело в счастье и несчастье. Свой человек – это тот, которого делает счастливым и несчастным то, что делает счастливым и несчастным тебя. У меня тут недавно парень наклевывался, нам даже какое-то время вместе интересно было. А потом у него кроссовки модные украли, он на них долго копил, «Адидас» какой-то особый. Так вот, когда их сперли, он чуть не заплакал. Сказал, что теперь три месяца никуда ходить не будет, чтобы другие такие же купить, на еде экономить собирался. Я ему их подарила, у меня было кое-что отложено. Никогда его таким счастливым не видела. И сразу ясно стало – чужой. Он, кстати, сам все понял, даже деньги потом вернул. Хотя, наверное, я его просто не полюбила, иначе радовалась бы только тому, что он счастлив.

– Интересно... Мне всегда казалось, люди так похожи в том, что их делает счастливыми...

– Не похожи. Иначе не было бы столько несчастных людей среди тех, кто получил все, к чему стремился. И расходятся люди тоже поэтому. Один к одному счастью идет, а другой – к другому. Они друг другу не свои.

– А у тебя своих много?

– Вы первый.

Ксюша сказала это легко, без женского кокетства или романтического подтекста.

– Вы вот сказали, что счастливы снег вдыхать. И я тоже. Вы не думайте, я в вас не влюбилась, просто так вот получилось, что мы познакомились, когда вы...

На этот раз она остановилась, не сказала сразу, Витя это заметил.

– Да говори уж – умираю.

– Уходите, вы просто уходите, но вы сейчас особенный.

У Вити защемило внутри из-за фразы про своего. У него этих своих тоже было не так уж и много, а тут, перед самым концом, встретить еще одну... Ему стало грустно, и он решил отшутиться.

– Ну да, ухожу, даже убегаю, а то папаша там твой один скучает, но скоро увидимся!

Витя посмотрел на Ксюшу, и его сердце сжалось. От страха.

– Ксюш, что ты так смотришь? Думаешь... Думаешь, мы там не встретимся? Думаешь, там нет ничего?

В голосе Витьки впервые за долгое время звучала безнадежность. А вдруг Ксюша знает что-то, чего не знает он? Вдруг его там никто не ждет? Ксюша сразу закачала головой и с каким-то особым теплом и опять же без всякой патетики стала рассказывать. Как рассказывают другу о просмотренном хорошем кино, легко и немного торопливо:

– Ну конечно, есть, точнее, только ТАМ и есть. Сюда мы просто вышли из дома ненадолго, а теперь возвращаемся домой с прогулки. А может, всё еще проще. Вы там утром глаза откроете и подумаете: «Ничего себе, мне тут целая жизнь приснилась!» И пойдете на свою небесную работу, скидывать на Землю снег с облаков.

– Хорошую ты мне работу нашла...

– Думаете, есть лучше? Что-то лучшее, чем скидывать снег с облаков?

Голос Ксюши стал другим, каким-то сверхъестественно объемным, обволакивающим, заливающим все вокруг, как шум сильного ветра в ночном лесу. Витя начал терять чувство пространства, комната исчезла, остались только ее глаза, в которых появилось какое-то бесконечное и безмятежное море неземной любви, зовущее Витю к себе.

У него пересохло в горле. Он прошептал:

– Думаю, нет...

Витя все понял про Ксюшу. Кто она. Зачем она пришла. Точнее, за кем.

Эта невозможная, но такая простая мысль совершенно не укладывалась в его голове, и, чтобы хоть как-то удержаться на ногах, он попытался вернуться в реальный разговор.

– А я, кстати, очень люблю снег чистить. Успокаивает. Представляешь, один раз чистил снег на даче перед домом, браслет нашел. Всех соседей опросил, никто не сознался. Я его себе оставил. Оказался старинный. Непонятно откуда...

Ксюша улыбнулась. Она поняла, что дядя Витя обо всем догадался, тоже вернулась в реальность и задорно ответила.

– Значит, надо ему было к вам попасть, вот он в снегу и ждал. – И потом вдруг добавила: – Дядь Вить, извините, а не могли бы вы мне его оставить на память? А я потом, если у вас внучка будет, ей передам. Я не потеряю! А пока буду носить и думать о вас, когда идет снег: вдруг это вы там лопатой машете...

– Подарю, конечно! Внучка... Может, и будет внучка.

Вите стало совсем тепло, он успокоился и окончательно поверил, что скоро будет дома. Каждую ночь ему снилось, что он сбрасывает снег с облаков и потом идет к себе. Витя даже расстраивался, когда просыпался в палате.

А потом он закончил все дела и...

На следующий день пошел снег. Много снега. Машины врезались друг в друга, пешеходы падали, все ругали городские власти, и только Ксюша смотрела в ночное небо, гладила браслет, улыбалась и говорила: «Ну хватит, дядь Вить, ну хватит...»

ЧАТ. КОПИРАЙТЕРЫ

ЧАТ № 1

Олег. Привет, Лиза!

Лиза. Привет. Лаконично. Ты что, бот?

Олег. Кто? Что значит «бот»?

Лиза. Понятно. Пройдешь тест Тьюринга?

Олег. Кого?

Лиза. Понятно, Олег, не бери в голову

Олег. Хорошо, не буду. Как дела?

Лиза. Я буддистка, поэтому мои дела никак.

Олег. Ого, а почему никак?

Лиза. Понятно. Не бери в голову.

Олег. Что делаешь?

Лиза. Решаю, кто виноват.

Олег. В чем?

Лиза. Понятно. А ты, смотрю, начитанный.

Олег. А ты – «палец в рот не клади»…

Лиза. Еще один такой фразеологизм, и твои шансы хоть что-то положить в мой рот уменьшатся до нуля.

Пауза.

Лиза. Куда пропал-то, Олег?

Олег. Шансы повышаю.

Лиза. Как планируешь это делать?

Олег. Молчанием, а то ты слишком высокоинтеллектуальная для меня. И да, твои примитивные проверки на образованность я намеренно не проходил, чтобы понять масштаб высокомерия. Более того, хочу расстроить насчет «дела никак»: это довольно поверхностное представление о буддизме, и рискну предположить, твои познания о нем заканчиваются на прочтении «Сиддхартхи».

Лиза. Сука.

Олег. Не бери в голову.

Лиза. СУКА. Откуда ты такой умный выискался? По лицу так не скажешь.

Олег. Да мне уж говорили. Были бы живы родители, предъявил бы.

Лиза. Ты же молодой? Или наврал про возраст?

Олег. Нет, все честно, сорок шесть, но я поздний.

Лиза. Давно они умерли?

Олег. Папа давно, мама полгода назад.

Лиза. Извини.

Олег. Ничего страшного. Это жизнь.

Лиза. Это да. А шутить на эти темы можно?

Олег. Шути.

Лиза. Ты в анкете написал, что первый раз зарегистрировался на сайте знакомств.

Олег. Да

Лиза. Раньше мама не разрешала? Теперь на свободу вырвался?

Пауза.

Лиза. Обиделся?

Олег. Нет, никак не могу закончить смеяться, такая шутка гениальная.

Лиза. Сука.

Олег. Твой запас ругательств весьма ограничен. Мама не разрешает?

Лиза. Мне пора. Завтра спишемся.

ЧАТ № 2

Олег. Лиза, дела всё еще никак?

Лиза. На работе.

Олег. Можешь переписываться?

Лиза. Я же на работе, конечно, могу.

Олег. У ивентщиков обычно на работе ад. А почему ты такая красивая и, я бы даже сказал, умная?

Лиза. Сука.

Олег. Я в курсе. Так вот – почему ты торчишь на этом сайте и болтаешь с таким, как я?

Лиза. Из милосердия. Это моя корпоративная социальная ответственность. Иначе кто с тобой болтать будет? Ну а ты, «бизнесмен, был женат, есть сын, квартира и дом в Европе», ты здесь что делаешь? Или наврал, может, все про себя?

Олег. Нет, не наврал, всё так. Дома даже два.

Лиза. Сука.

Олег. Не волнуйся, один только в Европе, второй – в Псковской области.

Лиза. Никому больше не говори это, а то с тобой перестанут девушки общаться.

Олег. А что, Псков проклят?

Лиза. Типа того. Так что ты тут забыл?

Олег. Ну если честно…

Лиза. Оспади…. ну давай честно, если по-другому не умеешь.

Олег. Серьезное что-то ищу.

Лиза. В смысле, женщину, которая трахается с серьезным лицом?

Олег. Ага, причем желательно в Псковской области. Нет, просто хочу самых обычных, нормальных отношений.

Лиза. Какая тоска.

Олег. А ты не хочешь?

Лиза. Хочу! Еще как хочу! Секс с серьезным лицом в Псковской области! Это мечта. Нашла, я так понимаю!

Олег. Не шутить не можешь?

Лиза. Могу.

Олег. Так что насчет серьезных отношений? Я не про себя. Я просто спросил.

Лиза. Люди всегда спрашивают про себя. От-ношения? Они все равно закончатся. Зачем на-чинать?

Олег. Жизнь тоже закончится. Зачем тогда жить?

Лиза. А меня не спросили, когда рожали, а по-том сказали, что самоубийство – это грех. Вот и нет выхода.

Олег. Люблю этот декаданс молодых, краси-вых, умных.

Лиза. Всё. Работаю. Спишемся.

ЧАТ № 3

Лиза. Ты что, идиот?

Олег. Что не так?

Лиза. Эта корзина не влезает даже в нашу пе-реговорную. У тебя что, маленький член, раз ты большие букеты даришь?

Пауза.

Лиза. Чего молчишь-то, Олег?

Олег. Член идет.

Лиза. Куда идет?

Олег. Фотография идет.

Лиза. Дебил. Не смешно.

Пауза.

Лиза. Ты, конечно, вообще без мозгов. Не та-кой уж и большой, кстати.

Олег. Ракурс плохой.

Лиза. Надо было снизу фотографировать. Сорок шесть лет, а он члены девушкам шлет.

Олег. Это первый раз. У меня до сих пор руки дрожат.

Лиза. Надеюсь, я могу не отвечать зеркально?

Олег. Конечно, не отвечай!!! Прости, я... ну... идиот.

Лиза. Идиот. Согласна. Спасибо за презентацию. И тем не менее. Вот ты не подумал, КАК я этот букет домой попру. На метро? Машины у меня нет.

Олег. Не думал, что ты меня на машину так быстро начнешь разводить. Да, и я сука. Можешь не писать это.

Лиза. Сука и дебил.

Олег. Внизу стоит машина и водитель. Ждут. Позвони, вот его телефон. Он поднимется и поможет.

Лиза. Продуманный такой. Это ты на своих дверях столько заработал?

Олег. И на окнах. И на мебели.

Лиза. Король деревяшек. А мне подаришь дверь или окно? Или шкаф? Хотя нет. Подари мне гроб, на будущее.

Олег. С окном или с дверью?

Лиза. Смешно. Даже очень. Я задумалась. Давай с окном. Если что, вылезу через него.

Олег. Тогда сделаю окно побольше, чтобы ты пролезла.

Лиза. Сука, сука, сука!!! Я худею!!! Я каждый день собираюсь не жрать!!! Ненавижу тебя!!!

Олег. Пришлю тебе завтра в офис «Мак-обед».

ЧАТ № 4

Лиза. Сегодня мама приходила. Половину цветов себе забрала. Папу теперь гнобит.

Олег. А папе твоему сколько?

Лиза. Ой. Да. Папа-то немного старше тебя.

Олег. Ты их хоть не пугай раньше времени.

Лиза. Я приврала, что тебе сорок.

Олег. А как потом мы будем это объяснять?

Лиза. А будет «потом»?

Олег. Ну если будет.

Лиза. Если будет, объясним.

Олег. А у тебя были какие-то отношения долгие?

Лиза. Долгие в твоем понимании – это сколько?

Олег. Ну пару лет хотя бы.

Лиза. Были, Олег.

Олег. Чем закончились?

Лиза. Ничем. Просто завяли. Самое обидное – расходиться без скандала, просто помогать друг другу вещи собирать, стараясь на трогательные общие фотки не смотреть. И знаешь, когда на прощание обнимаются при мирном разводе, так тепло с одной стороны, с другой – как будто внутри что-то раз – и умерло. Я больше не хочу мирно разводиться.

Олег. Обещаю, если что, войну! Как думаешь, а почему все умирает?

Лиза. Я не знаю. Мне просто вдруг становилось неинтересно с человеком говорить.

Олег. А разве нельзя с человеком молчать?

Лиза. Ну, может, такой человек не попадался.

ЧАТ № 5

Лиза. Я не люблю врать. Скажу как есть. Я вдруг поняла, что я скучаю. И я хочу увидеться.

Олег. Классное слово «скучаю». Я тоже об этом подумал.

Лиза. Ну ты так пишешь, как будто мы выросли вместе. А ты старше почти на двадцать лет. Блин, как так получается.

Олег. Ну, наверное, мне очень хочется затащить тебя в Псков. Давай увидимся. Ты когда можешь?

Лиза. Только в субботу.

Олег. Черт. ЧЕРТ. Я не могу...

Лиза. Почему?

Олег. Детский день, я с сыном его провожу.

Лиза. Не можешь перенести?

Олег. Не могу.

Лиза. То есть даже так? Я просто уеду в субботу вечером, может, надолго.

Олег. Я его вижу раз в неделю.

Лиза. А меня – ни разу! Может, вместе увидимся?

Олег. Нет, это неправильно, с ребенком – только если мы что-то решим. Он же живой. Вдруг ты ему понравишься, а я тебе нет.

Лиза. Нет, ты точно не мой ровесник. Слишком много рефлексируешь. Не боишься, что я за эту неделю в кого-нибудь влюблюсь и перестану скучать?

Олег. Ну буду надеяться на лучшее. Что остается.

Лиза. Вообще, ты молодец. Круто. Не ожидала. Я попробую перенести билеты, увидимся в воскресенье.

Олег. Ты из-за меня перенесешь билеты?

Лиза. Я попробую.

ВСТРЕЧА. РЕСТОРАН

Лиза. Олег, это твой сын?

Олег. Лиз, ну... даже не знаю... ну это...

Лиза. Олег, это кто?

Олег. Это Дима.

Лиза. Ты что, гей?

Олег. Нет! Ты что, нет, конечно, хотя последнюю неделю мы с Димой, можно сказать, живем вместе. В общем, ну я даже не знаю, с чего начать...

Лиза. Ненавижу тебя. Ты можешь собраться как мужик и все объяснить?!

Олег. Это он с тобой переписывался.

Лиза. Сука. А он кто?

Олег. Он мой пиарщик. Я тогда начал тебе писать. Ну а ты в ответ такое написала, что я понял, что не справлюсь, а ты мне очень понравилась... Я его попросил помочь... ну и...

Лиза. Так. А ты хоть видел, что он пишет?!

Олег. Конечно! Мысли вообще-то мои... ну... почти все. Ну я, это... я со всем согласен. Просто я не умею так складно... не получается.

Лиза. Мы ночью же переписывались!

Олег. Да, это не очень всем удобно было. Ну, у меня гостевая комната, хотя консьержка думает, что мы...

Лиза. Минуточку. А чей член?!

Олег. Нет, ну, конечно, мой!

Лиза. Почему-то это «конечно». Или вы сравнили и отправили лучший? Дим, у тебя как вообще с членом-то?

Дима. Не сравнивали мы ничего.

Лиза. Н-да. И не мог, что ли, пиарщика попросить сфотографировать нормально?

Олег. Это вообще была моя идея… Я психанул. Не знаю почему… Дима был против.

Дима. Я до сих пор против.

Лиза. Хорошо. Зачем ты мне все это рассказал? Предупреждали же, что в сети одни кретины…

Олег. Ну… Я подумал, как-то это все нечестно… Тебе же, по сути-то, Дима понравился… Это же его слова. Да и мне кажется, ты ему тоже. Да, Дим?

Дима. Лиза, ты очень интересная… Я очень хотел с тобой увидеться, если честно.

Олег. В общем, я решил вас познакомить. А я… В общем, я пойду. Спасибо, Лиз, ты классная, ты мне очень понравилась. Даже как-то жаль. Ну я… Просто я сложных слов не знаю. Подучусь, как время будет.

Лиза. Олег… Это, конечно, сюрреализм. Дима, объясни ему потом, что это.

Олег. Это Дали, это я знаю.

Лиза. Ну короче, я тоже не то чтобы всю переписку сама вела. То есть, ты когда написал, я с подругой сидела, она у нас копирайтер в агентстве, она мне пару идей дала. Что, думаешь, я про тест как его… Юнга? Дим?

Дима. Тьюринга.

Лиза. Во-во, про Тьюринга, думаешь, я знала? А ты так ответил заумно... точнее, Дима, получается. Ну вот она мне все это время и помогала. Так что, Дим, ты прости, но, в общем, я не совсем то, что ты думаешь. Я к Олегу ближе, хотела выпендриться – вот, выпендрилась. Олег, ты тоже прости. Знаешь, увидела – мужик симпатичный, нормальный такой. Ты когда на первые три вопроса затупил, я так обрадовалась, думаю, вот наш человек, а ты раз и начал умного включать. Хорошо, Люся меня вытащила. Я, кстати, начала эту «Сиддхартху» читать.

Дима. Не эту, а этого.

Лиза. Ну да. Этого. Круто, конечно. Ничего не поняла ваще, но затягивает.

Олег. Лиз, я так счастлив! Может, мы... ну это... ну, пойдем, погуляем, поболтаем по-нашему, по-простому... У меня как камень с души.

Лиза. Давай! Без умных слов, да?

Олег. Ваще без! Сейчас я в туалет схожу. Сейчас приду!

Дима. Лиз, а познакомишь меня с Люсей с этой? Так пишет круто.

Лиза. Хорошо. Вы и правда похожи, копирайтеры. Давай телефон, пришлю ее номер. Сейчас предупрежу, отойду ей позвонить, здесь берет плохо.

Лиза. Люсь, выручишь?

Люся. Чего?

Лиза. Помнишь, я тебе про мужика из интернета рассказывала?

Люся. Который гробы делает с окнами?

Лиза. Ну да, я тут с ним встретилась.

Люся. И-И-И-И?!

Лиза. Представляешь, ему тексты в нашу переписку его пиарщик писал. Он со словом не очень дружит. Ну сам по себе мужик хороший. Настоящий такой, добрый, я, знаешь, даже поплыла, если честно. Я таких вообще не встречала, непонятно из какого мира. И видно, что по жизни умный, просто читал, наверное, мало, но это поправимо. Он с собой этого пиарщика притащил, говорит, так нечестно, мол, ты им увлеклась, а не мною. В общем, чудо природы. Я, его чтоб не расстраивать, сказала, что тоже не сама писала, что ты мне помогала, что я сама тоже не очень чтобы.

Люся. Ну ты даешь!

Лиза. Ну слушай, он так трогательно стеснялся, здоровый лось, видно, что состоявшийся, а потерялся, как пацан, уходить собрался. Я поняла, что любой ценой его нужно удержать, но пришлось приврать, он сразу расцвел. Сейчас потренируюсь в упрощенной лингвистике, но этот пиарщик теперь требует твой телефон, я, чтобы легенду дожать, дам ему номер, а ты его слей аккуратно.

Люся. А он как?

Лиза. Да никак, пишет так себе, а мысли явно не его. Смотри сама. Переписку я тебе скину. Ну, чтобы ты в теме была. Его Дима зовут. Ладно, я на свидание пошла.

Люся. Не умничай там!

Лиза. Я вообще молчать буду.

СЛАВИК, ДАВАЙ ПРОСТО ДРУЖИТЬ

Множество раз Славику-не-говори-неправду все сходило с рук, но у любой сказки бывает конец. В случае со Славиком у конца было прелестное имя – Дашечка.

Ее так звали все. В сташестидесятисантиметровом теле проживал дьявол, и даже он иногда чувствовал себя каким-то бедным, а главное – благочестивым родственником. Славик встретил Дашечку в Питере на полусветском приеме. Он поехал в город на Неве на неделю, развеяться. Не был там года три и рассчитывал на приключения.

Тем более Славик практически впервые выгуливал абсолютно лысую голову. Волосы начали бросать Славика, и он привычно ушел первым.

Новая внешность придавала Славику уверенности и азарта.

Дашечку он заметил сразу. Ее нельзя было не заметить. Черные волосы, бразильская задница и красное платье, трещавшее на этой самой заднице практически по швам. Что еще нужно в таком сером городе, как Питер? На лицо Славик уже не смотрел. Надо отметить, Дашечка в тот момент была в очень разобранном состоянии. Она металась между двумя мужчинами. Хорошим и плохим. Ну как плохим, с недостатками. А вот хороший был предельно положительным. Даша разрывалась и ныряла вглубь себя. Делала она это и в тот момент, когда Славик зашел с тыла.

– Возьмите меня охранником к вашей фигуре. Я готов просто стоять рядом. Как вас зовут?

Дашечка промолчала, посмотрела внимательно на красовавшегося Славика и высказалась:

– Ты, сука, совсем охренел?!

Славик опешил. Продолжение тирады было достойным начала:

– Ты думаешь я тебя, слизняка, через четыре года не узнаю? Нет, я поражаюсь твоей наглости! Ты меня трахнул, кинул на деньги, теперь не узнал и начал клеить заново?! Славик, я даже не знаю – хочу я тебя убить или книгу о тебе написать!

Славик понял, что ему выпало «зеро». Как человек, изучавший статистику, он знал, что рано или поздно это должно было случиться. Дашечку он вспомнил. Он не смог тогда устоять против соблазна не отдать Дашечке долг (взял якобы на взятки милиционерам, чтобы его не арестовали). Но он не был бы Славиком-не-говори-неправду, если бы не пошел ва-банк. Тем более Дашечка стала настоящим секс-динамитом, и было видно, что в тротиловом эквиваленте она скоро выйдет на ядерный заряд. Славик торжественно повернул оба красных ключа. Он покачал головой, уставился в никуда и через долгую паузу произнес:

— Опять. Опять этот Славик... Сколько еще нести этот крест?!

Мучение и безысходность звучали в каждой букве. Дашечка пыталась возмутиться, но начала что-то подозревать.

— Какой крест? Ты что плетешь?!

— Обычный крест, деревянный. Я хотел бы перед вами извиниться...

Славик не знал, что такое искренность, но читал про нее в «Википедии» и попытался изобразить. Дашечка продолжала не понимать.

— Мы теперь на вы?.. Ну хорошо. Извиняйся, но лучше деньгами.

— Извиниться за своего брата. Я, видите ли, не Славик... Я его брат-близнец.

Часть Дашечкиной взрывчатки не выдержала.

— Что?!

— Меня зовут Альфред. Так в семье сложилось... ну, знаете, один ребенок удается, а другой... Другой – Славик... Меня в подростковом возрасте отправили в Лондон, а Славик остался здесь... Мы с детства почти не общаемся. И вот я приехал, считай туристом, в Петербург, и такой конфуз: меня, представляете, практически побили вчера за него. Не знал, что он так здесь знаменит. Извините еще раз, давайте, я вам отдам деньги, которые он у вас украл, и, чтобы не вызывать неприятные ассоциации, прервем наше несостоявшееся знакомство. Сколько Славик у вас взял?

Славик произрастал из хорошей почвы своей интеллигентной и образованной семьи, поэтому речь его была, когда надо, богата и, когда надо, предельно насыщена вежливостью. Только вот НАДО ему было очень редко. Дашечка сначала онемела, затем на ровном инстинкте начала с денег, но быстро осеклась.

– М-м-м-м... Тысяч пять долларов... Простите, ради бога, я... Вы... Вы так похожи, разве что лысый... Я правда не хотела...

– Ничего, ничего, как вас завтра найти? Мой водитель привезет деньги. – Артист не выходил из образа печального рыцаря.

Славик-не-говори-неправду решил, что ради Дашечки, которая действительно как-то фантастически расцвела, он готов ВРЕМЕННО расстаться с такой суммой. Махинатор, конечно, был уверен, что найдет, как вернуть ее назад.

Хотя даже если не найдет... Славик признал, что секс с Дашечкой стоит этих денег. Плюс к этому, Славик верил в кармическое равновесие. В денежном эквиваленте он развел прекрасный пол на несколько десятков, если не сотню, свиданий и с Дашечкой решил немного вернуть назад.

– Да не надо, что вы... – Дашечка испытала редкое для себя чувство стыда и еще более редкое – симпатии. Да и фраза про Лондон не осталась незамеченной.

– Я Даша, вы Альфред, да?

– Да, имя не лучшее, но дедушка был Альфредом, любил меня. (Славик мысленно извинился перед своим дедушкой, которого звали Иосиф Михайлович; Иосиф Михайлович с того света послал Славику луч восхищения и одобрения.)

– А мне нравится! Необычно, и вам очень идет. А вы, а вы... – Дашечка искала тему для продолжения беседы и нашла. – Славика-то видели давно?

– Очень давно... Мы не общаемся. Ну я не виноват, что меня родители отправили в Гарвард, а его нет.

Славик изобразил еще одно чуждое ему состояние – раскаяние. Но Дашечка неожиданно поставила его в тупик.

– А вы еще и в Гарварде учились после Англии? Ничего себе... Первый раз вижу выпускника Гарварда.

Славик почему-то был уверен, что Гарвард находится в Англии, но не растерялся.

– А куда еще после Англии ехать, только в Гарвард.

И тут Дашечка почувствовала, что Бог решил вернуть не только деньги. Альфред ей начинал нравиться все больше и больше. Она временно отложила свои метания между плохим и хорошим вариантом кавалеров.

– А на кого вы учились?

– На финансиста.

– Надо же, и я! Финэк закончила, не Гарвард, но все-таки, а какая специализация?

Специализация у Славика была примитивная. Найти инвестора и кинуть.

– Я работаю на высокорисковых рынках. Помогаю людям чувствовать жизнь, ведь просто деньги давно уже никого не радуют. Нужен пульс жизни. Вот я и объясняю людям, как рисковать, но не потерять все.

– Не даете жить то есть? – Дашечка усмехнулась.

– Не даю себя обмануть мошенникам.

– Таким, как ваш брат?

– Очень верно подмечено...

И тут Славика потянули за язык. Ему очень захотелось узнать, что о нем думают женщины, в собственной неотразимости он был уверен.

– Даша, а я так понимаю, мой брат вам запомнился. А что вы о нем скажете? Оставим это между нами, обещаю.

– Конченая скотина. Но знаете, что удивительно...

Славик проглотил про «скотину», но заинтересовался, что же в нем удивительного.

– И что же?

– Он уникальный человек.

Славик начал рдеть изнутри. Дашечка продолжила.

– На вид абсолютный лох. Знали бы, как он одевается... Полное отсутствие вкуса при стремлении произвести впечатление.

Челюсти Славика создали давление в несколько атмосфер. Славик сквозь них процедил:

– Наверное, собеседник интересный, раз как-то смог вас очаровать?

– Старые анекдоты и адические штампы, с трудом заставляла себя смеяться.

Славик начал искать нож.

– Что же тогда в нем такого?

Он был близок к истерике. И тут – осенило!

– Может, секс? Ну не удивлен, он еще в школе только о нем и говорил.

– Секс?! Вы смеетесь?.. Честно, только без передачи: Славик абсолютное бревно, если так можно сказать о мужчине. Ну и анатомически не то чтобы одарен... Ой, простите, вы же близнецы! Но я слышала, в этом вопросе у всех по-разному...

Славик очевидно изменился цветом лица.

– Подождите, вы мне все время не даете сказать самого главного. В вашем брате не было ничего, кроме...

Дашечка стала искать слово.

– Кроме какого-то адского магнетизма негодяя. Вот было ясно, что у человека ничего святого, вообще ничего, и это завораживало. Даже на секс это, оказывается, влияет. Сама начинаешь верить, что тебе хорошо. Конечно, на этом магнетизме долго женщину не удержать, при полном провале во всем остальном. Может, Славик это знал и поэтому уходил всегда первым, но в момент общения...

Даша заулыбалась, очевидно погрузившись в воспоминания. Славик сжал мандарин, и тот лопнул.

– Простите, если обидела, просто сразу видно, вы – другой. Совсем на него не похожи в этом смысле слова.

– Да, безусловно. Как говорил дедушка Альфред, в семье не без Славика, и ставил Славика в угол.

Иосиф Михайлович попросил чертей болтать тише, ему стало очень интересно, да и чертям тоже. Они давно ждали Славика и хотели понять, к чему готовиться.

– А у вас семья, наверное? – с надеждой на отрицательный ответ спросила Дашечка.

Славик был в нокдауне, но кое-как собрался на второй раунд.

– Была. Мы развелись. Дети с мамой в Беверли-Хиллз, а я вернулся в Лондон. Пробую начать новую жизнь, путешествую, вот, видите, до Питера добрался...

Славик сделал глоток, натянул на лицо скуку и использовал запрещенный, но эффективный прием.

– Даша, я, наверное, вас уболтал, да и сам немного устал за день. Если вы не возражаете, я запишу номер вашей карты и завтра переведу вам деньги, все-таки брат за брата отвечает. А сейчас, пожалуй, пойду.

Даша практически в него вцепилась.

– Подождите, мне так интересно с вами! Если вы не против, я вас завтра на ужин приглашу, тем более деньги, я так понимаю, у меня теперь есть.

Она засмеялась и незаметно встала анфас. Славик еще раз оценил изгиб и понял, что до завтрашнего ужина он дотянет с трудом, но из роли не выходил.

– Ну если вы настаиваете... Я буду рад, у меня в Питере не так много друзей.

– Славик, твою мать! – прилетело из угла зала.

Славик скрипнул всем телом: «Ну что ж за день-то такой!»

Он обернулся. Московский друг продирался сквозь толпу. Он был не очень трезв (это если скромно оценить его состояние).

Славик схватил Дашечку за руку и сказал:

– Сейчас я разберусь, подождите меня. Это уже переходит всякие границы.

Славик рванул к приятелю через толпу, врезался в него и зашипел в ухо:

«Костян, срочно прикинься, что ты обознался, у меня фэбики на хвосте, я изображаю своего брата-близнеца. Срочно! И извини, я тебя ударю, не давай мне сдачи».

Славик ткнул Костю в живот и громко рявкнул:

– Какой я тебе Славик, глаза раскрой, животное пьяное!

Славик вернулся к Дашечке, которая пребывала в восхищении. Интеллигент, и ударить может. Это же идеальный человек!

– Даша, простите, но я уже иногда не выдерживаю. И это Питер... Представляете, что в Москве происходит? Я домой, тогда до завтра? Вот мой номер телефона.

На следующий день они поужинали. Славик продолжал игру и не проявлял никакой сексуальной инициативы. Прощаясь, поцеловал руку. Даша потом на нее долго смотрела и пыталась понять свои ощущения. Она впервые расстроилась из-за отсутствия секса на первом свидании. Потом они пообедали. Славик основательно подготовился по линии финансов и на всякий случай перечитал Бродского, даже выучил кое-что. Особенно яростно Славик двигал тему супружеской верности, порядочности, заботы о женщине, чуть в религию не свалился. На ты перешел под давлением. Славик был идеальным. Он даже сам в себя влюбился и захотел за себя замуж.

Наконец, он понял, что пора узнать, какова Дашечкина задница на ощупь после стольких лет разлуки, но останавливали слова про его анатомию. Славик боялся, что его узнают по члену, и решил уточнить, возможно ли это, у близкой женщины, которая от столь откровенного вопроса не упадет в обморок. Таких в окружении Славика не нашлось, и он, как это всегда бывало в безвыходных ситуациях, набрал... жену.

– Привет!

– Славик, ты что, умер? Ты вдруг позвонил из командировки.

– Нет, нет, все хорошо, работаю в поте лица.

– Твоё лицо не потеет. Что тебе надо?

– Да тут с Костиком (Славик предусмотрительно встретился с Костиком, ввёл его в курс дела и посадил напротив) поспорил на пять тысяч долларов, может ли женщина узнать мужчину по члену.

Ответ последовал моментально.

– Костика – не знаю, а тебя да.

Славик сначала от неожиданности заглох, а потом с какой-то обидой спросил:

– А почему меня-то – «да»?

– Член такого идиота, как ты, хочешь запомнить из антропологических соображений и на всякий случай. Костику привет, я работаю.

Ситуация для Славика легче не стала, но похоть победила. В разговоре с Дашечкой он зашёл издалека.

– С радостью посмотрю, как ты живёшь, у тебя, мне кажется, чудесный дом.

Славик взял Дашечку за руку. Даша смотрела Славику в глаза с такой нежностью, что он задумался о своей жизни.

– Альфред, слушай... Даже не думала, что когда-нибудь такое скажу... Тебе ведь можно сказать как есть?

– Конечно.

Славик приготовился услышать о Дашечкином желании стать матерью, пожалел, что уже женат, но не изменил себе: параллельно думал, как бы все-таки вернуть после секса пятерку. Его размышления прервало Дашино признание.

– Не могу я. Не могу. Ты прекрасный, замечательный, ты мечта женщины... Но знаешь... Помнишь, я тебе говорила про магнетизм? Прости, но я поняла, что для меня это главное в мужчине. Вот Славик хоть и скотина, и секс с ним был так себе, и я бы ни за что не хотела с ним еще раз увидеться, но я его год забыть не могла... Что-то в нем есть, чего нет в других мужчинах. Этот самый адский магнетизм. А в тебе его нет... Славик – это, конечно, перебор, но и ты уж слишком... чистый, что ли. Слишком хороший. Нет в тебе никакого изъяна, стерильный ты.

Дашечка прослезилась.

– Что ж я за дура-то такая! Мне, наверное, к психологу надо на консультацию. Вечно я влюбляюсь в придурков! А пока, прости, не хочу я тебя, да и себя обманывать. Давай просто дружить. Я буду очень рада. Уверена, ты прекрасный друг.

Иосиф Михайлович лишился дара речи, а черти пошли на консультацию к психологу. Благо, в аду их пруд пруди.

Дашечка после той истории не задумываясь выбрала «плохого». Она все про себя поняла. Вместе они прогуляли деньги, возвращенные Альфредом, и послали ему кучу фотографий из своего свадебного путешествия.

Ну а Славик в результате той встречи потерял не только пять тысяч долларов. Он лишился самого главного – своего адского магнетизма негодяя. Он делал все, чтобы его вернуть, но – тщетно. Магия исчезла. Просто темная сторона силы не любит, когда ей изменяют со светлой, еще и пытаясь всех при этом надуть.

В итоге Славик-не-говори-неправду был оставлен всеми своими женщинами.

Всеми, кроме жены. Она его не бросила. Она его любила просто так. Иногда это случается. Нужно просто верить.

Благодарю компанию S.T. Dupont за то, что ее ручка никогда не заканчивалась, когда надо было записать идеи новых рассказов.

Благодарю компанию РЖД за комфортные поездки и истории, рассказанные проводниками.

Не могу не сказать теплые слова в адрес автомобилей Porsche, благодаря скорости которых я все-таки успевал на свои выступления независимо от пробок.

СОДЕРЖАНИЕ

ВТОРОЕ ОТДЕЛЕНИЕ

Литературно-художественное издание
әдеби-көркемдік баспа
Серия «ОДОБРЕНО РУНЕТОМ»

16+

АЛЕКСАНДР
ЦЫПКИН

девочка,
которая всегда *смеялась*
последней

Ведущий редактор *Филипп Бастиан*
Художественный редактор *Юлия Межова*
Технический редактор *Валентина Беляева*
Компьютерная верстка *Натальи Шлеминой*
Корректор *Валентина Леснова*

Подписано в печать 15.07.2019.
Формат 70 x 108 $^1/_{32}$.   Усл. печ. л. 12,6.
Печать офсетная. Бумага офсетная.
Гарнитура BookmanLightITC
Тираж 30000 экз. Заказ № 7390.

Произведено в Российской Федерации
Изготовлено в 2019 г.

Изготовитель: ООО «Издательство АСТ»
129085, Российская Федерация, г. Москва,
Звездный бульвар, д. 21, стр. 1,
комн. 705, пом. I, этаж 7
Наш электронный адрес: WWW.AST.RU
Интернет-магазин: book24.ru

Общероссийский классификатор продукции
ОК-034-2014 (КПЕС 2008);
58.11.1 - книги, брошюры печатные

Өндіруші: ЖШҚ «АСТ баспасы»
129085, Мәскеу қ., Звёздный бульвары, 21-үй, 1-құрылыс,
705-бөлме, I жай, 7-қабат
Біздің электрондық мекенжайымыз: www.ast.ru

Интернет-магазин: www.book24.kz
Интернет-дүкен: www.book24.kz
Импортер в Республику Казахстан ТОО «РДЦ-Алматы».
Қазақстан Республикасындағы импорттаушы
«РДЦ-Алматы» ЖШС.
Дистрибьютор и представитель по приему претензий
на продукцию в республике Казахстан:
ТОО «РДЦ-Алматы»
Қазақстан Республикасында дистрибьютор
және өнім бойынша арыз-талаптарды қабылдаушының
өкілі «РДЦ-Алматы» ЖШС, Алматы қ., Домбровский көш.,
3«а», литер Б, офис 1.
Тел.: 8 (727) 2 51 59 89,90,91,92
Факс: 8 (727) 251 58 12, вн. 107;
E-mail: RDC-Almaty@eksmo.kz
Тауар белгісі: «АСТ» Өндірілген жылы: 2019
Өнімнің жарамдылық мерзімі шектелмеген.
Өндірген мемлекет: Ресей

Отпечатано с готовых файлов заказчика
в АО «Первая Образцовая типография»,
филиал «УЛЬЯНОВСКИЙ ДОМ ПЕЧАТИ»
432980, Россия, г. Ульяновск, ул. Гончарова, 14

**ФОНД
ДЕТИ-БАБОЧКИ**

deti-bela.ru

Фонд "Дети-Бабочки" занимается всесторонней помощью детям с редким генетическим заболеванием — буллезным эпидермолизом (БЭ). Причиной болезни является поломка в гене, из-за которой в организме не хватает белка, отвечающего за соединение слоев кожи. При любой механической травме, а иногда и без неё на коже ребёнка возникают пузыри, и кожа отслаивается, оставляя открытую рану, которую необходимо постоянно закрывать специальными перевязочными материалами и предохранять от повторного повреждения. На сегодняшний день заболевание неизлечимо. Но вовремя поставленный диагноз и правильный уход с применением специальных перевязочных средств позволяют избавить ребенка от страданий и обеспечить ему нормальную жизнь.

Фонд оказывает медицинскую, материальную, информационную, психологическую и юридическую помощь. Занимается обучением российских врачей, в том числе в лучших клиниках и медцентрах Европы, издаёт медицинскую литературу о буллёзном эпидермолизе, активно взаимодействует с фармацевтическими компаниями по анализу и подбору медикаментов и средств ухода для больных БЭ. Медицинская команда фонда — ведущие специалисты по БЭ в России — проводит обучающие семинары для региональных врачей, выступает на дерматологических конференциях. Фонд полностью обеспечивает медикаментами и всем необходимым отказных "детей-бабочек" и ищет им приемных родителей.

Фонд является членом и представителем в России Международной ассоциации DEBRA International.

**Отправьте СМС на номер 3443
со словами ЛЕТИ пробел СУММА**
или
**Отсканируйте QR-код, чтобы узнать,
как помочь детям.** ·····················→

ФОНД ПРОФИЛАКТИКИ РАКА НЕ НАПРАСНО!

Фонд профилактики рака — независимая некоммерческая организация, которая уже 9 лет развивает проекты в сфере профилактики рака. Мы меняем медицинскую систему и будущее каждого из нас.

НАШИ ГЛАВНЫЕ ПРОЕКТЫ:

● **Высшая школа онкологии** — грантовая программа для талантливых врачей со всей России, которые хотят стать онкологами. Благодаря ВШО они не променяют учебники на ночные подработки и смогут полностью посвятить себя учебе. *Почему это важно?* Потому что один правильно обученный онколог спасет десятки тысяч жизней.

К 2021 году будет из ВШО будет выпущено 53 резидента. Это означает, что только за один год более 20 000 больных раком смогут получить помощь высококвалифицированного врача-онколога

● **«Просто спросить»** — бесплатная справочная служба для людей, болеющих раком. Здесь они находят ответы на вопросы о лечении рака и настоящее внимание экспертов.

350 человек со всей России ежемесячно обращаются в сервис за консультацией

Почему это важно?
Узнав о диагнозе, люди испытывают страх и находятся в замешательстве. Мы помогаем им справиться с неопределённостью и получить ответы на вопросы.

● **Profilaktika.Media** — просветительский медиапроект Фонда профилактики рака о доказательной медицине и онкологии. Здесь можно найти проверенную информацию о лечении и профилактики не только онкологии, но и других заболеваний.

Почему это важно?
В открытых источниках масса лженаучной медицинской информации, которая может подтолкнуть людей к неверным выводам и опасным решениям касательно лечения.

ПОДДЕРЖИТЕ ФОНД ПРОФИЛАКТИКИ РАКА, ЕСЛИ ХОТИТЕ МЕНЯТЬ БУДУЩЕЕ УЖЕ СЕЙЧАС И ДЕЛАТЬ ЭТО С УМОМ

Вы можете сделать пожертвование на сайте Фонда профилактики рака: nenaprasno.ru

Или отправить SMS со словом «НЕНАПРАСНО» пробел СУММУ ПОЖЕРТВОВАНИЯ на короткий номер 3434

Хулиганская лирика харизматичного питерского пиарщика и журналиста Александра Цыпкина заслуженно переросла сетевой успех и популярность в периодических СМИ. Эта книга в основном заставит вас смеяться, один раз плакать, но, главное, она вернет аппетит к жизни, а может, — и любовь к людям.

«В этих историях все странно, неожиданно, но при этом парадоксальным образом достоверно. От этого делается легко, свободно и весело. Читая книгу „Женщины непреклонного возраста", я смеялся.

Иногда — неприлично громко».

Андрей Аствацатуров

Александр Цыпкин — один из самых необычных литературных и театральных дебютов за последнее время. Его первый сборник лирическо-хулиганских рассказов «Женщины непреклонного возраста» стал самой продаваемой сатирической книгой в России в 2015 году. Рассказы, собранные в этой книге, читали со сцены такие актеры как Сергей Бурунов, Максим Виторган, Сергей Гармаш, Михаил Горевой, Ингеборга Дапкунайте, Виктория Исакова, Данила Козловский, Анна Михалкова, Михаил Морозов, Елена Полякова, Петр Семак, Павел Табаков, Полина Толстун, Андрей Ургант, Николай Фоменко, Константин Хабенский, Юлия Хлынина, Дмитрий Чеботарев, Катерина Шпица и другие.

«БеспринцЫпные чтения» — один из самых ярких и необычных литературно-театральных проектов последнего времени. За два года его существования состоялось более ста чтений. Рассказы знаменитых авторов: Александра Цыпкина, Наринэ Абгарян, Андрея Аствацатурова, Саши Филипенко и других — звучали со сцен двенадцати стран мира!

В проекте принимают участие ведущие российские актеры: Константин Хабенский, Ингеборга Дапкунайте, Данила Козловский, Сергей Гармаш, Евгений Стычкин, Анна Михалкова, Виктория Исакова, Николай Фоменко, Ксения Раппопорт, Катерина Шпица, Павел Табаков и другие.

Самые запомнившиеся рассказы этого года собраны в одной книге.

Александр ЦЫПКИН
Юлия ИВЛИЕВА Елена ЗОТОВА
Алексей БУЦАЙЛО Александр БЕССОНОВ

ТАКСИЧНАЯ

КНИГА

18+

При поддержке
БЕСПРИНЦЫПНЫЕ
ЧТЕНИЯ

Иногда они доезжают.

Иногда — это просто из точки А в точку Б.

А иногда — с вами случится «таксичная» история.

Долгожданный водитель смахивает на серийного манья-ка. От ям на дороге трясет так, что все лишнее спешит по-кинуть тело. Случайный попутчик оказывается совсем не-случайным, а пункт назначения — ближе, чем показывал навигатор, а то и вовсе — сразу на кладбище.

Вам шашечки или ехать? Иногда нам шашечки.